Les Éditions du Boréal
4447, rue Saint-Denis
Montréal (Québec) H2J 2L2
www.editionsboreal.qc.ca

Les Invasions barbares

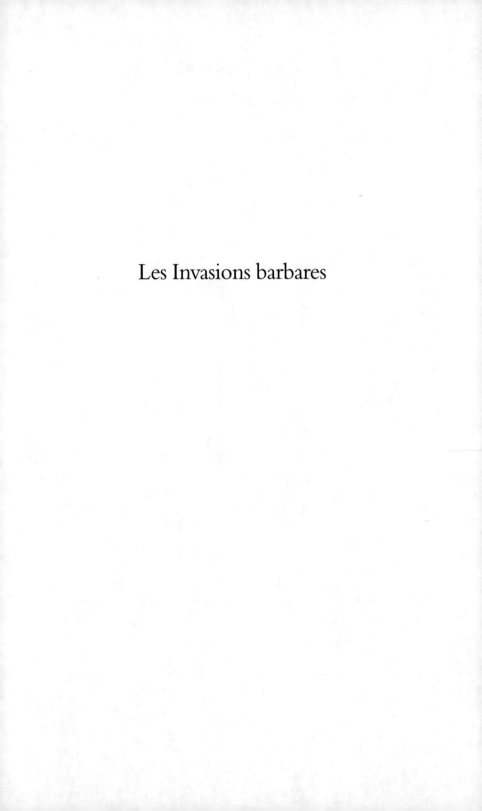

DU MÊME AUTEUR

Le Déclin de l'Empire américain, Boréal, 1986.

Jésus de Montréal, Boréal, 1989.

Denys Arcand

Les Invasions barbares

scénario

Boréal

Le film *Les Invasions barbares*, réalisé par Denys Arcand et produit par Cinémaginaire,
est distribué au Canada par Alliance Atlantis Vivafilm (www.allianceatlantisvivafilm.com).
Sa sortie en salles a eu lieu le 9 mai 2003.

Conception de la couverture : Alexandre Renzo
Photos hors-texte : Attila Dory

Les Éditions du Boréal remercient le Conseil des Arts du Canada ainsi que le ministère
du Patrimoine canadien et la SODEC pour leur soutien financier.

Les Éditions du Boréal bénéficient également du Programme de crédit d'impôt
pour l'édition de livres du gouvernement du Québec.

Diffusion au Canada : Dimedia
Diffusion et distribution en Europe : Les Éditions du Seuil

Données de catalogage avant publication (Canada)
Arcand, Denys, 1941-

    Les Invasions barbares
    ISBN 2-7646-0244-8

    1. Invasions barbares (Film cinématographique). II. Titre.

PN1997.I58   2003   791.43'72   C2003-940655-5

035679

Préface

Voici un sujet que je ne pouvais aborder qu'à l'aube de la soixantaine : une maladie mortelle, la douleur, les hôpitaux québécois, l'indifférence générale, la cérémonie des adieux et peut-être, dans les vies les mieux réussies, les sourires et l'amour de ses proches.

J'ai accompagné dans nos hôpitaux mon grand-père, mon père et ma mère, tous morts du cancer. C'étaient des gens bons et doux : ils ne méritaient pas ça. Le scénario est en partie venu de là. Il est venu aussi de mes propres paniques : « Noël au scanner, Pâques au cimetière », « Voir pour la dernière fois Gênes ou Barcelone ». On fait des films aussi bien sur ses peurs que sur ses amours.

On fait aussi des films pour rêver une mort idéale, pour effacer la réalité. Je n'ai jamais dit à mon grand-père, ni à ma mère et surtout pas à mon père à quel point je les aimais. J'aurais dû.

Je vous livre aujourd'hui mon scénario au complet sans les coupes qu'exigent toujours les lois spécifiques de la dramaturgie, les aléas du tournage ou les réactions des premiers spectateurs.

Ayez pitié de moi,

Denys Arcand

Personnages et interprètes
par ordre d'apparition à l'écran

SÉBASTIEN : *Fils de Rémy et de Louise.*
  Opérateur de marché chez MacDougall Deutsch
  à Londres   Stéphane Rousseau

LOUISE : *Séparée de Rémy depuis quinze ans.*
  Professeur de piano à l'école
  de musique Vincent-d'Indy   Dorothée Berryman

GAËLLE : *Fiancée de Sébastien. Diplômée*
  de l'École du Louvre. Travaille chez Turner
  and Sons, encanteurs à Londres   Marina Hands

MONSIEUR DUHAMEL : *Un malade qui partage*
  la chambre de Rémy. Ancien ambulancier   Denis Bouchard

LA PREMIÈRE AMOUREUSE : *Une femme*
  que Rémy a séduite autrefois   Sophie Lorain

9

RÉMY : *Professeur d'histoire à l'université.*
   En congé de maladie   Rémy Girard

CONSTANCE LAZURE : *Travaille au service*
   de la pastorale du CHUDEQ
   (Centre hospitalier universitaire
   d'enseignement du Québec)   Johanne Marie Tremblay

JÉRÔME : *Ami d'université de Sébastien.*
   Analyste de systèmes chez Bombardier   Sébastien Ricard

CAROLE : *Une infirmière épuisée*   Micheline Lanctôt

CÉLINE : *Une infirmière affolée*   Bonnie Mak

MAXIME : *Ami d'université de Sébastien. Médecin*
   attaché à l'hôpital universitaire Johns Hopkins
   de Baltimore   Dominic Darceuil

LE TECHNICIEN : *Réparateur de télévision*   Éric Paulhus

LA SECONDE AMOUREUSE (MARLÈNE DUPIRE) :
   Une autre femme que Rémy a séduite autrefois   Sylvie Drapeau

SUZANNE : *Une infirmière fatiguée et bonne*   Markita Boies

SYLVAINE : *Fille de Rémy et de Louise, sœur*
   de Sébastien. Convoyeuse de voilier   Isabelle Blais

PAULINE JONCAS-PELLETIER : *Directrice générale*
   du CHUDEQ   Lise Roy

RONALD HÉROUX : *Directeur permanent du syndicat*
des employés du CHUDEQ   Jean-Marc Parent

LE GARDIEN : *Responsable de la sécurité*
du CHUDEQ   Gaston Lepage

ALAIN DUSSAULT : *Chercheur au Centre national*
de recherche scientifique. Ancien élève
de Rémy, Pierre et Dominique   Daniel Brière

CLAUDE : *Directeur général de l'Institut universitaire*
canadien de Rome   Yves Jacques

DIANE : *Professeur d'histoire à temps partiel*
au Collège de Saint-Jean   Louise Portal

PIERRE : *Professeur d'histoire à l'université.*
Marié depuis quatre ans.
Deux filles de un et de trois ans   Pierre Curzi

GHISLAINE : *Femme de Pierre*   Mitsou Gélinas

DOMINIQUE : *Professeur à la retraite*   Dominique Michel

GILLES LEVAC : *Sergent détective de la police*
de la Communauté urbaine de Montréal   Roy Dupuis

KIM DELGADO : *Policière.*
Partenaire de Levac   Sofia de Medeiros

ALESSANDRO : *Professeur de civilisations*
  à l'Université de Bologne. Amant de Claude   Toni Cecchinato

NATHALIE : *Fille de Diane. Correctrice*
  dans une maison d'édition   Marie-Josée Croze

OLIVIER : *Photographe de mode et dealer*   Yves Desgagnés

LE MÉDECIN : *Il est aussi président du Comité*
  des règlements internes du Club de golf
  de la Vallée-du-Richelieu   Jean-René Ouellet

RAPHAËLLE METELLUS : *Chargée de cours*
  à l'université   Janique Kearns

VINCENT : *Un étudiant*   Sébastien Huberdeau

GABRIELLE : *Une étudiante*   Rose-Maïté Erkoreka

MALCOLM WHITE : *Cadre de la maison*
  Turner and Sons   David Gow

RAYMOND LECLERC : *Prêtre de l'archevêché.*
  Chargé de la conservation
  et de la disposition du patrimoine   Gilles Pelletier

ARIELLE : *Ancienne petite amie de Pierre*   Macha Grenon

LE PHARMACIEN   Sean Lu

GUO JING : *Une archéologue chinoise*   Julie Tu

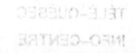

Fiche artistique

Réalisateur/scénariste	Denys Arcand
Producteurs	Denise Robert
	Daniel Louis
Coproductrice	Fabienne Vonier
Images	Guy Dufaux
Scénographie	François Séguin
Montage	Isabelle Dedieu
Son	Patrick Rousseau, Marie-Claude Gagné
	Michel Descombes, Gavin Fernandes
Costumes	Denis Sperdouklis
Musique	Pierre Aviat
Casting	Lucie Robitaille
Directrice de production	Hélène Grimard
Attachée de presse	Minou Petrowski
Relations de presse	Brigitte Chabot
Distribution (Canada)	Alliance Atlantis Vivafilm

Intérieur jour – Londres – Bureau

La salle des opérateurs de marché de la banque privée Macdougall Deutsch à Londres. Cette salle est immense, elle ressemble à une cathédrale. Une centaine d'opérateurs surveillent les écrans de leur ordinateur tout en parlant au téléphone. Certains parlent dans deux appareils en même temps. Ce sont très majoritairement des hommes, aucun n'a plus de quarante ans et certains en paraissent à peine vingt. Le visage de Sébastien apparaît en gros plan, il est très jeune et il a un récepteur-microphone fixé à l'oreille. Il porte une cravate rayée sobre sur une chemise de coton anglais. On entend une sonnerie électronique discrète qui joue les premières notes de Ah vous dirais-je maman.

SÉBASTIEN *(souriant)*

Bonjour, maman.

Intérieur jour – Appartement de Louise

Louise est au téléphone dans son petit appartement moderne d'Outremont.

LOUISE

Bonjour, mon grand. J'ai des mauvaises nouvelles. Ton père à l'hôpital, ça s'améliore pas, ça s'améliore pas du tout. Il faudrait que tu puisses venir.

SÉBASTIEN

C'est lui qui t'a demandé ça ? *(Il enlève ses lunettes.)*

LOUISE *(en marchant dans l'appartement avec son téléphone sans fil)*

Il l'a pas mentionné ouvertement, mais c'est…

SÉBASTIEN *(l'air contrit)*

Maman, je l'ai vu quinze minutes l'été dernier, tu le sais très bien, t'étais là : on avait absolument rien à se dire, comme d'habitude.

LOUISE

Sébastien, il faut s'occuper de son appartement, de son compte en banque, de ses assurances de l'université, ta sœur est en Australie, je suis toute seule, c'est trop pour moi, il faut que tu viennes.

SÉBASTIEN

O.K., je vais voir si Gaëlle peut se libérer.

LOUISE

C'est pas nécessaire d'ennuyer Gaëlle avec ça…

SÉBASTIEN

Je lui téléphone, je te rappelle.

Intérieur jour – Londres – Salle d'encan

> *Une salle d'encan à Londres. Un tableau est posé sur un chevalet à côté du pupitre de l'encanteur. La salle est à moitié pleine. À l'avant, le long d'un mur latéral, quatre jeunes hommes et deux jeunes filles relatent au téléphone les péripéties de la vente à des acheteurs étrangers. Gaëlle est l'une de ces jeunes femmes. Elle est tout à fait élégante dans son tailleur b.c.b.g.*

L'ENCANTEUR

Lot number eleven. Again from the Robert Collection, *White Sleep* by Susan Scott. Start me off on this at four thousand pounds please.

> *Un homme dans l'assistance élève une carte sur laquelle est inscrit un numéro.*

L'ENCANTEUR

Gentleman in the back, four thousand five hundred.

GAËLLE *(dans son combiné)*

Four thousand five hundred.

> *Un Japonais à son tour élève sa carte.*

L'ENCANTEUR

Five thousand. Gentleman near the aisle.

GAËLLE

Five thousand.

> *Gaëlle sort de sa poche un portable qu'elle porte à son autre oreille,*
> *éloignant de sa bouche le microphone du premier téléphone.*

GAËLLE

Bonjour, mon amour.

SÉBASTIEN

Mon père est toujours à l'hôpital.

GAËLLE

Ça s'aggrave ?

> *Le jeune homme au téléphone à côté de Gaëlle fait un geste de la*
> *main.*

L'ENCANTEUR

Absentee bidder on the phone. Six thousand pounds.

SÉBASTIEN

Oui. Il faut que j'aille à Montréal.

GAËLLE

Je vais prévenir Mister White.

Une dame à l'avant fait un signe discret.

L'ENCANTEUR

Lady in the front, six thousand five hundred.

Gaëlle reprend son premier téléphone.

GAËLLE

Six thousand five hundred.

SÉBASTIEN

C'est pas obligatoire que tu viennes.

GAËLLE

Je t'ai déjà prévenu : tu ne pourras plus jamais te débarrasser de moi.

SÉBASTIEN

Est-ce que je m'en plains ?

GAËLLE

Vaut mieux pas.

Elle referme son portable et rapproche le micro du premier télé-
phone. Le premier acheteur fait de nouveau un signe.

L'ENCANTEUR

Gentleman in the back : seven thousand.

GAËLLE

Seven thousand.

Intérieur jour – Hôpital – Chambre de Rémy

Rémy est couché sur un lit d'hôpital. Son crâne est complètement
chauve, on comprend qu'il sort d'une chimiothérapie violente. La
chambre est fétide, sale et encombrée. Il la partage avec trois autres
patients. Deux sont des moribonds, que quelques visiteurs tentent
de réconforter, le troisième, monsieur Duhamel, regarde la télévi-
sion, dont le volume est très élevé. La première amoureuse se pro-
mène autour du lit de Rémy comme un tigre en cage.

LA PREMIÈRE AMOUREUSE

Parce que moi, je t'ai aimé ! Tu pourras jamais comprendre ça,
toi. Nous les femmes, on a pas peur d'aimer, on s'engage ! On
passe pas notre vie à mentir, à fuir nos responsabilités. Je t'ai
attendu pendant quatre ans, moi ! Quatre ans à perdre mon
temps ! Les plus belles années de ma vie ! Tu t'en chercheras une
femme comme moi !

Elle s'assoit brusquement sur le lit du patient voisin.

RÉMY

Pas trop fort, il est très malade…

LA PREMIÈRE AMOUREUSE *(recommençant à circuler dans la chambre)*

Je m'en fiche! On parle de ma vie! Il m'est resté quoi, moi, de tout ça? Rien! Si au moins tu m'avais fait jouir!

Monsieur Duhamel jette sur Rémy un regard troublé.

LA PREMIÈRE AMOUREUSE

Parce que j'ai des nouvelles pour toi, mon chéri : t'es pas vraiment équipé pour faire jouir personne. Je veux pas faire de mal à ton ego, là, mais j'ai déjà vu mieux! J'aurais pu gagner un Oscar d'interprétation, moi, dans ton lit. *(Elle se heurte à Duhamel qui se promène avec son appareil à soluté. L'appareil se met à faire bip bip.)* Tu t'es jamais douté de ça, toi? Jamais! Jamais!

Elle lui enfonce l'index dans les côtes. Rémy souffre horriblement.

RÉMY

Ouch! Ça fait mal!

LA PREMIÈRE AMOUREUSE

Non, non. La maladie, c'est trop facile comme excuse. Me tromper pendant quatre ans avec Sylviane Dupuis, avec Lucie Mongrain, avec Mireille Tétrault… *(Elle renverse l'appareil à soluté, que Duhamel rattrape de justesse.)* Elle pèse une tonne, Mireille Tétrault! *(Elle fait revoler le plateau de nourriture au pied du lit de Rémy.)*

RÉMY

Lucie Mongrain?

LA PREMIÈRE AMOUREUSE

Oui, Lucie Mongrain! Tu te souviens même pas de tes propres maîtresses? T'en as eu trop?!

RÉMY *(l'air perplexe)*

Lucie Mongrain?

LA PREMIÈRE AMOUREUSE

La grande échalote chez Olivieri!

RÉMY *(l'air incertain)*

J'ai jamais couché avec elle.

LA PREMIÈRE AMOUREUSE

C'est elle-même qui me l'a dit. Aie au moins le courage de t'assumer.

RÉMY

Elle t'a raconté ça?

LA PREMIÈRE AMOUREUSE

Parfaitement.

RÉMY

Je te jure, je m'en souviens pas du tout.

Intérieur jour – Hôpital – Chapelle

Dans la petite chapelle vide de l'hôpital, sœur Constance Lazure prend une dizaine d'hosties dans un ciboire, les dépose dans sa custode qu'elle enfouit dans la poche de son cardigan.

Intérieur jour – Hôpital – Corridor

Sœur Constance entre dans un corridor de l'hôpital. La scène est dantesque. Des malades sont étendus sur des civières tout le long de l'interminable corridor. Des piles de boîtes cartonnées s'élèvent ici et là, des étagères de pansements et de jaquettes débordent. Le poste de garde est déserté, les dossiers s'empilent pêle-mêle sur le comptoir. Un téléphone sonne sans que personne ne réponde. Une partie du plafond s'est effondrée et des toiles de plastique canalisent l'eau du toit dans des poubelles sales. Sœur Constance s'approche d'une patiente couchée dans un corridor et lui tend une hostie.

SŒUR CONSTANCE

Le corps du Christ.

LA PATIENTE

Amen.

Sœur Constance reprend sa marche et arrive à la chambre de Rémy.

Intérieur jour – Hôpital – Chambre de Rémy

Sœur Constance s'approche d'un patient hindou et lui tend une hostie. Celui-ci refuse.

LE PATIENT HINDOU

Hindu ! No thank you.

Monsieur Duhamel fait signe à sœur Constance.

MONSIEUR DUHAMEL

Ici la communion !

Sœur Constance donne une hostie à monsieur Duhamel. La télé est toujours en marche et son volume, toujours aussi élevé.

SŒUR CONSTANCE

Le corps du Christ.

MONSIEUR DUHAMEL

Amen.

SŒUR CONSTANCE

Vous devriez pas être dans le lit 2116B ?

MONSIEUR DUHAMEL

Il y a eu une erreur.

> *Dès qu'il a avalé son hostie, Duhamel se retourne vers sa télé où se joue une partie de miniputt. Sœur Constance s'arrête près du lit de Rémy, tout en tirant de sa poche un printout d'ordinateur. Louise est au chevet de son mari.*

SŒUR CONSTANCE

Comment ça va, monsieur Desmarais, aujourd'hui ?

RÉMY *(l'air exaspéré)*

Je n'ai aucune idée de comment va monsieur Desmarais, ma sœur, parce que je ne suis pas monsieur Desmarais.

SŒUR CONSTANCE

Excusez-moi, je suis désolée. Ils ont tellement d'ennuis avec les ordinateurs. *(Elle tend la main à Louise.)* Je suis Constance Lazure.

RÉMY

Ma femme, Louise.

SŒUR CONSTANCE

C'est pas trop dur de voir son mari à l'hôpital ?

LOUISE *(souriant)*

Ça fait quinze ans que je l'ai mis dehors de la maison. Alors, qu'il soit ici ou dans son appartement en train de sauter des étudiantes, ça change pas grand-chose à ma vie.

Air ébahi de sœur Constance.

RÉMY

Ah non, tu vas pas recommencer ça ! Tu sais très bien que ça fait des années que j'ai pas « sauté », comme tu dis, une étudiante.

LOUISE

Ah oui ? Raphaëlle Metellus, c'était pas une étudiante peut-être ?

RÉMY

Raphaëlle Metellus n'a jamais été dans ma classe. Elle était avec Dominique et avec Pierre.

LOUISE

Toi, c'étaient les cours privés, j'imagine ? Mettez-vous à genoux, mademoiselle, et ouvrez bien grand, surtout que je ne sente pas vos dents.

SŒUR CONSTANCE *(l'air perplexe)*

Bon, eh bien moi je crois que je vais continuer mes visites. Je vous souhaite une bonne journée.

Elle sort.

RÉMY

Bonne journée.

LOUISE

À vous aussi. *(À Rémy.)* J'ai téléphoné à Sébastien pour le prévenir.

RÉMY

Ah oui ?

LOUISE

Il va venir.

RÉMY

Ah bon.

LOUISE

T'es pas d'accord ?

RÉMY

C'est parfait. Il va pouvoir me parler de ses derniers jeux vidéo.

LOUISE

C'est de son âge.

RÉMY

Je comprends qu'il est encore jeune, mais tu penses pas qu'il aurait pu trouver le temps de lire un livre une fois dans sa vie ? Juste un ! N'importe lequel ! Tu me trouves trop exigeant, c'est ça ?

LOUISE

Il a peut-être jamais lu de livres, mais ça l'empêche pas de gagner en un mois ce que t'arrives à peine à faire en un an. Je l'ai vu, moi, son appartement de…

> *Une soudaine douleur au ventre plie Rémy en deux. Il reste recroquevillé sur son lit.*

Extérieur jour – Aéroport

> *Sébastien, Gaëlle, Jérôme, sa femme Annie et trois cadres masculins descendent d'un avion privé Bombarbier, portant les couleurs de la compagnie.*

SÉBASTIEN *(à Jérôme)*

C'est vraiment très gentil, mon vieux.

JÉRÔME

C'est rien. Il y avait de la place. D'ailleurs, celui-ci refait Belfast-Berlin lundi, si jamais tu veux retourner…

SÉBASTIEN

J'ai l'impression que ça va être plus long que ça… De toute
façon, je te téléphone.

GAËLLE *(à Annie)*

Non, c'est dans la National Gallery, tu vois, au sous-sol…

Intérieur nuit – Hôpital – Chambre de Rémy

> *Louise quitte le chevet de Rémy pour se précipiter dans les bras de*
> *Sébastien qui entre dans la chambre avec Gaëlle. Le son de la télé*
> *de monsieur Duhamel est omniprésent.*

LOUISE

Mon grand garçon ! As-tu fait un bon voyage ? Tu dois être tellement fatigué ! Il est quoi ? deux heures du matin, là, pour toi ?
(Regard sinistre de Rémy.) Bonsoir, Gaëlle, vous allez bien ? *(Elle*
embrasse Gaëlle.)

GAËLLE

Très bien, merci, madame.

> *Sébastien s'approche de Rémy.*

SÉBASTIEN

Bonsoir, monsieur.

RÉMY

Bonsoir, jeune homme.

Ils se donnent la main d'une manière un peu empesée.

SÉBASTIEN

Tu te souviens de Gaëlle ?

RÉMY

Gaëlle est inoubliable… *(Il lui baise la main.)*

GAËLLE

Bonsoir, monsieur.

SÉBASTIEN *(à Rémy)*

Ça va ?

RÉMY

Eh…

*Il montre d'un geste la chambre et les malades autour de lui.
Sébastien et Gaëlle se regardent, l'air contrit. Sébastien examine
avec attention toute la chambre. Il suit des yeux le câble coaxial
qui part du récepteur de monsieur Duhamel pour sortir de la
chambre.*

SÉBASTIEN

Il y avait pas d'autre chambre de disponible ?

RÉMY

Il paraît que je suis chanceux de pas être dans le corridor.

LOUISE

J'ai tout essayé. J'arrive jamais à parler à personne.

Sébastien sort son portable qui sonne et vérifie l'identité de son correspondant. Il fait toujours cela avant d'activer la communication.

SÉBASTIEN

Good evening Thor, you're not in Stavanger, are you ?… Oh Houston ! No, I'm in Canada.

Intérieur nuit – Hôpital – Corridor et poste de garde

Sébastien quitte la chambre en repérant la sortie du câble coaxial. Près du poste de garde, il trouve une vieille paire de ciseaux sur une table mobile momentanément abandonnée. Il déplace la civière d'un malade en s'excusant et coupe le câble coaxial.

Intérieur nuit – Hôpital – Chambre de Rémy

La chambre de Rémy est soudainement plongée dans un silence rafraîchissant. Monsieur Duhamel agite frénétiquement sa télécommande. Il diminue le volume du white noise, se lève ensuite sur son lit et tente de jouer avec les boutons du récepteur. Il finit par frapper le récepteur.

MONSIEUR DUHAMEL

Voyons, verrat !

Intérieur nuit – Hôpital – Poste de garde

Au poste de garde, Sébastien a réussi à coincer Carole, une infirmière débordée.

SÉBASTIEN

Non, mais il doit bien y avoir des chambres privées quelque part ?

CAROLE *(tout en parlant au téléphone)*

Ça fait quarante ans que les chambres privées ont été abolies.

SÉBASTIEN

Comment ça, « abolies » ?

Monsieur Duhamel arrive.

MONSIEUR DUHAMEL

Ma télévision marche plus.

CAROLE

Ça arrive, monsieur, j'y peux rien.

MONSIEUR DUHAMEL

C'est le téléjournal, là, dans dix minutes. Puis après, c'est *Le Grand Blond.*

CAROLE

Les télés, c'est une compagnie privée, monsieur, téléphonez demain matin.

MONSIEUR DUHAMEL

Demain matin ? ! Mais je vais faire quoi moi…

CAROLE *(raccrochant furieusement le téléphone)*

Je le sais pas, monsieur, ce que vous allez faire !

Une auxiliaire, Céline, arrive en courant.

CÉLINE

As-tu des clamps ?

CAROLE

Regarde en bas, là.

SÉBASTIEN *(à Carole)*

Il y a autre chose que je veux vous demander.

CAROLE

Hé! Ça fait douze heures que je travaille. J'ai pas eu cinq minutes à moi en douze heures. On devrait être trois ici : je suis toute seule. Tes problèmes de chambre privée, parles-en à d'autres, O.K. ?

> *Elle s'éloigne à toute vitesse en apportant des médicaments. Céline fouille toujours dans les armoires.*

SÉBASTIEN *(à Céline)*

Est-ce que je peux avoir accès au dossier médical de mon père ?

CÉLINE

Il faut demander à un médecin.

SÉBASTIEN

Où est-ce que je peux en trouver un ?

CÉLINE

Je sais pas.

SÉBASTIEN

Est-ce qu'il y a un fax ici ?

CÉLINE

Non, il y en a pas.

SÉBASTIEN

Il y a pas de fax dans tout l'hôpital ?

CÉLINE

Probablement à l'administration.

SÉBASTIEN

C'est où l'administration ?

CÉLINE

Le soir, ils sont fermés.

SÉBASTIEN

Écoutez, ce que je veux faire, c'est…

CÉLINE

Plus tard ! Là, j'ai pas le temps. O.K. ? Plus tard.

Elle part en courant. Sébastien commence à fouiller dans les dossiers pour trouver celui de son père.

Extérieur nuit – Rue du Vieux-Montréal

Un taxi dépose Sébastien et Gaëlle devant un hôtel à la mode du Vieux-Montréal. Sébastien, le dossier de Rémy sous le bras, a son téléphone portable collé sur l'oreille.

SÉBASTIEN *(parlant au téléphone)*

J'ai réussi à trouver son dossier. Je monte à la chambre et je te le scanne.

Extérieur nuit – Musée d'art de Baltimore

Dans la cour intérieure du Musée d'art de Baltimore, Maxime est en smoking.

MAXIME *(parlant au téléphone)*

Je pourrai pas le regarder tout de suite, parce qu'en ce moment, là, mon vieux, je suis à un bal.

SÉBASTIEN

Un bal?

MAXIME

Oui, mon ami, le bal annuel du Baltimore Museum of Art. Pire encore, je sens qu'Allison va me forcer à danser.

SÉBASTIEN

Ouch!

MAXIME

Alors je regarde ça demain à la première heure, et je te rappelle.

Intérieur nuit – Hall de l'hôtel

Sébastien et Gaëlle traversent le hall de l'hôtel en direction de leur chambre.

SÉBASTIEN *(au téléphone, à Maxime)*

O.K., alors bon courage, Max. À demain.

GAËLLE

Maxime, c'était ton meilleur ami ?

SÉBASTIEN

Oui, on était au collège ensemble. On faisait pas de sport, on faisait pas de musique, on était premiers de classe. Tout le monde nous détestait. On avait aucun succès auprès des filles. Et puis son père a abandonné sa mère, à peu près en même temps que le mien. Après l'université, lui il est parti aux États-Unis.

GAËLLE

Il a épousé une Américaine ?

SÉBASTIEN

Oui. Très jolie… Mais je préfère les Françaises.

GAËLLE

C'est très bien.

Intérieur nuit – Hôtel – Chambre

> *Sébastien envoie un courriel. On voit l'écran de son ordinateur :*
> *« sylvaineenbateau@hotmail.com » « Papa est très malade.*
> *Donne des nouvelles. Bass. » Gaëlle sort de la salle de bains, por-*
> *tant un slip court particulièrement sexy. Elle vient derrière Sébas-*
> *tien et pose les mains sur ses épaules. Il se retourne et l'enlace. Le*
> *téléphone sonne.*

SÉBASTIEN

Good morning John. I'm working on the Norvegian deal. I
need some indications on CAL 03, CAL 04, Brent swaps and
options…

> *Gaëlle se détache de lui et va se coucher toute seule dans le grand*
> *lit. Sébastien se lève et va vers le balcon.*

SÉBASTIEN *(sur le balcon)*

Can you price me a producer swap and twenty dollar put?…
Well, let's assume five thousand a day each.

Intérieur jour – Hôpital – Chambre de Rémy

> *Un technicien termine l'inspection du téléviseur de monsieur*
> *Duhamel.*

LE TECHNICIEN

C'est un problème de câble, monsieur. Vous avez pas de signal sur votre câble.

MONSIEUR DUHAMEL

Bon, eh bien, réparez le câble.

LE TECHNICIEN

Je peux pas toucher au câble, monsieur.

MONSIEUR DUHAMEL

Comment ça?

LE TECHNICIEN

Nous, c'est les télés. Juste les télés. Le câble, c'est Vidéotron. Faut leur téléphoner.

MONSIEUR DUHAMEL

Mais ils viendront jamais, ils sont quasiment en faillite!

LE TECHNICIEN

Plaignez-vous à la Caisse de dépôt!

Le technicien referme sa trousse d'instruments et s'apprête à sortir.

MONSIEUR DUHAMEL

J'ai pas le temps d'aller à la Caisse, moi, monsieur ! J'ai une vie à vivre, moi, monsieur ! La télévision est un droit acquis !

> *Monsieur Duhamel poursuit le technicien à l'extérieur de la chambre. Il passe près du lit de Rémy au pied duquel la Seconde Amoureuse est assise. Elle pleure à chaudes larmes.*

LA SECONDE AMOUREUSE

Je t'ai tellement aimé ! *(Rémy lève les yeux au ciel.)* Je me suis tellement donnée à toi ! Je comprends pas, Rémy, je comprends pas que t'aies eu peur de t'engager. *(Elle se lève, enlève une chemise sur une chaise et la jette sur le lit du patient hindou.)* Mais je te reproche rien : les responsabilités t'ont toujours fait peur, t'étais comme ça, j'ai jamais voulu te changer. *(Elle approche la chaise du lit, s'y assoit.)* C'est long, tu sais, trois ans à attendre. *(Elle appuie la tête sur la poitrine de Rémy, qui a l'air dépassé.)* J'ai attendu tellement longtemps *(sanglotant…)* les plus belles années… hou, hou… ma jeunesse…

Intérieur jour – Clinique – Corridor

> *Maxime marche dans le corridor d'une clinique dont le luxe et la propreté font contraste avec l'hôpital montréalais. Il parle au téléphone.*

MAXIME *(à Sébastien)*

Écoute, ce que je vois est pas très encourageant… Non. Mais pour être plus sûr, là, il me faudrait un PET scan, scanner à positrons.

Extérieur jour – Hôpital

Sébastien descend d'un taxi, son téléphone portable vissé à l'oreille.

MAXIME *(hors-champ)*

Positron Emission Tomography.

Intérieur jour – Clinique – Corridor

MAXIME *(marchant toujours dans sa clinique)*

Essaie de voir s'ils en ont un à Montréal. Il faudrait qu'ils m'envoient ça par câble ou par satellite, c'est pas très compliqué.

Intérieur jour – Hôpital – Chambre de Rémy

La seconde amoureuse pleure encore.

LA SECONDE AMOUREUSE *(maintenant allongée sur le lit de Rémy, elle se colle contre lui)*

Ce qui me rend le plus triste, c'est que même dans les moments, tellement courts, d'intimité qu'on a pu avoir, sur le plan physique, moi, je suis toujours restée, comment dire, insatisfaite. *(Duhamel entre dans la chambre, les regarde d'un air perplexe puis ressort.)* Je dis pas ça pour te culpabiliser, là, pas du tout, mais dans un lit, moi, avec toi, c'est dur de dire ces choses-là, je suis jamais arrivée à… à la plénitude… Hou! Hou! Hou! Si tu en cherchais, tu sais, je suis pas sûre que tu en trouverais une femme qui t'aurait aimé plus que moi! Hou! Hou!

Rémy essaie discrètement de voir l'heure à sa montre.

Intérieur jour – Hôpital – Corridor

Dans le corridor, Sébastien marche derrière une infirmière, Suzanne, qui porte un plateau de médicaments, l'air exténué.

SÉBASTIEN

En français, ça serait à peu près « tomographie par émission de positrons ».

SUZANNE

Oui, il y en a un à Sherbrooke. Mais il y a des listes d'attente de six, huit mois, des fois un an. Vaut mieux pas y penser. *(Un temps.)* Vous allez pas à Burlington avec lui aujourd'hui ?

SÉBASTIEN

Oui.

SUZANNE

Là, ils en ont un.

SÉBASTIEN

Formidable.

SUZANNE

Mais c'est très cher. Deux mille dollars US au moins, et il faut payer cash ou avec une carte de crédit. *(Elle s'arrête, pose son plateau.)*

SÉBASTIEN

L'argent, c'est pas un problème.

SUZANNE *(regardant Sébastien d'un air las mais gentil)*

Vous êtes chanceux.

Intérieur jour – Hôpital – Chambre de Rémy

La seconde amoureuse pleure toujours.

LA SECONDE AMOUREUSE

T'as jamais été à l'écoute de mon corps, mais encore une fois, là, je te blâme pas, je veux simplement…

RÉMY *(exaspéré, il essaie de se lever et lui tend son sac à main)*

Tu vas m'excuser, mais il va falloir que je m'habille…

LA SECONDE AMOUREUSE *(s'agrippant à Rémy)*

Je t'en supplie, tu vas pas te sauver encore une fois…

RÉMY

Mais non ! C'est parce qu'il y a une ambulance qui vient me chercher dans dix minutes pour m'emmener à Burlington aux États-Unis…

LA SECONDE AMOUREUSE

Rémy, c'est trop facile ça, comme excuse !

RÉMY

Mais c'est pour ma radiothérapie ! *(Elle le plaque sur le lit.)* Il me reste encore deux séances. Je suis obligé d'aller là-bas : ici, les machines sont trop vieilles.

LA SECONDE AMOUREUSE

Je t'en prie, cherche pas d'échappatoire, ça fait trop mal. *(Elle se jette sur lui de tout son corps.)*

> *Sébastien entre.*

RÉMY *(regardant Sébastien)*

C'est mon fils Sébastien. Il vient avec moi.

> *La seconde amoureuse jette un œil sur Sébastien, détourne brus-*
> *quement la tête, éclate en sanglots et s'enfuit hors de la chambre.*
> *Sébastien interroge son père du regard.*

RÉMY *(en souriant, l'air coquin)*

Une femme que j'ai connue autrefois…

Intérieur jour – Duplex – Notre-Dame-de-Grâce

> *Louise et Gaëlle montent les marches qui mènent au logement de*
> *Rémy.*

LOUISE

J'avais pas le courage de venir toute seule.

GAËLLE

Vous n'êtes jamais venue ici ?

LOUISE

Jamais.

Elle ouvre la porte et insiste pour que Gaëlle entre la première.

LOUISE

Entrez.

C'est un grand appartement éclairé, confortable et propre. Les deux femmes apprivoisent l'espace.

GAËLLE

Vous vous voyiez quand même régulièrement, non ?

LOUISE

Toujours en terrain neutre. Au restaurant généralement.

GAËLLE

Il allait chez vous, lui ?

LOUISE

À l'occasion.

Elle pénètre dans le bureau de Rémy, dont les murs sont tapissés de livres.

GAËLLE

Mais vous, jamais ici ?

LOUISE *(jetant un coup d'œil sur la table de travail)*

Non. Je savais que c'est ici qu'il emmenait ses copines, ses maîtresses. Avec un peu de chance, on va trouver des petites culottes… *(Elle passe dans le couloir, se retourne vers Gaëlle.)* Je suis très contente que Sébastien fasse le voyage avec lui aujourd'hui. C'est tellement important qu'ils puissent se parler, ces deux-là.

Intérieur / extérieur jour – Ambulance

Dans une ambulance qui file sur l'autoroute, Rémy est assis sur une civière dont le dossier est à moitié relevé. Sébastien, sur un strapontin, parle au téléphone. Rémy regarde défiler le paysage. De temps à autre, le père et le fils se jettent un regard furtif, mais ils font bien attention à ce que leurs regards ne se croisent jamais.

SÉBASTIEN *(au téléphone)*

The cost is about two ten a barrel, which would give you a break-even of seventeen-ninety on the puts and roughly twenty-one point seven on the combo. I'll send you an e-mail with the details.

Il referme son téléphone. Les deux hommes se taisent toujours.

Intérieur jour – Appartement de Rémy

Gaëlle et Louise vident le frigo de Rémy. Elles jettent tout dans un grand sac en plastique vert. De temps en temps, elles grimacent quand l'odeur est trop forte.

LOUISE

Ça fait quinze ans maintenant que Rémy est parti, et à cette époque-là, moi, j'étais absolument sûre que je me retrouverais un homme assez rapidement. Je me donnais un an, deux maximum. *(Un temps.)* Eh bien, j'ai jamais retrouvé personne. Oh! Il y a des hommes qui sont venus dans mon lit, ça, c'est pas si difficile à trouver, mais ils étaient déjà mariés ou ils avaient des problèmes, ou ils étaient tout simplement sales. Il y a beaucoup d'hommes qui se lavent pas, vous savez.

GAËLLE

Oui, je sais.

Louise regarde Gaëlle avec un peu d'étonnement.

Extérieur jour – Frontière, Canada– États-Unis

L'ambulance passe la frontière des États-Unis.

Extérieur jour – Hôpital de Burlington – Entrée

On voit d'abord les mots « PATIENT ASSISTANCE » tracés en lettres jaunes sur le dos du blouson de l'auxiliaire qui aide

l'ambulance à se garer devant l'hôpital régional de Burlington.
L'auxiliaire ouvre les portes arrière de l'ambulance.

L'AUXILIAIRE

Good morning guys! Welcome to America!

RÉMY

Praise the Lord!

SÉBASTIEN

Allelluia!

Intérieur jour – Hôpital de Burlington – Salle de scanner

Dans une salle hyper-moderne, le corps de Rémy glisse lentement
dans un tube de scanner. Sébastien est assis tout près, vêtu d'une
veste antiradiation, l'air triste.

RÉMY *(tournant la tête vers Sébastien)*

Tu connais le proverbe : « Noël au scanner, Pâques au cimetière ».

Regard contrit de Sébastien.

Intérieur jour – Appartement de Rémy

Gaëlle et Louise s'apprêtent à quitter l'appartement en emportant
des sacs de déchets et une valise.

LOUISE

Quand je vivais avec lui, je m'en rendais pas compte, même quand on s'est séparés, je le savais pas encore. Il m'a fallu des années pour m'apercevoir que cet homme-là, c'était l'homme de ma vie. Vous devez me trouver ridicule d'employer des mots comme ça.

GAËLLE

Pas du tout.

Intérieur / extérieur – Ambulance

L'ambulance revient vers Montréal. Rémy et Sébastien ne se parlent toujours pas. Le portable de Sébastien sonne.

SÉBASTIEN

Allô?

Intérieur jour – Baltimore – Bureau de Maxime

MAXIME

J'ai reçu le scan… C'est pas bon, mon vieux. C'est pas bon du tout.

SÉBASTIEN *(jetant un œil vers son père)*

Really?

Sébastien parle d'une voix neutre pour ne pas inquiéter Rémy.
Celui-ci regarde Sébastien intensément. On entend vaguement la
voix de Maxime sur le portable. Il est difficile de savoir ce qui pour-
rait être compréhensible pour Rémy.

MAXIME *(regardant les images du scan)*

Évidemment, on n'est jamais sûr, mais dans un cas comme ça, la marge d'erreur est… Il y a pratiquement pas de marge d'erreur.

Regard inquiet de Rémy.

SÉBASTIEN *(hors-champ)*

O.K.

MAXIME

Est-ce qu'il a commencé à souffrir beaucoup ?

SÉBASTIEN

I don't know. Maybe.

MAXIME

Le mieux, ça serait que tu me l'emmènes ici. On va pas faire de miracle, mais il serait super-confortable et je te jure qu'il souffrira pas. On est vraiment bons pour ça.

SÉBASTIEN

Let me think about it. I'll call you back.

MAXIME

O.K. Je suis désolé, mon vieux.

SÉBASTIEN

O.K. Thanks.

> *Sébastien raccroche, fait un petit sourire à Rémy, qui lui sourit en retour, puis le regarde intensément, l'air inquiet.*

Intérieur nuit – Hôpital – Chambre de Rémy

> *Monsieur Duhamel s'est procuré une minuscule télé qu'il tient sur ses genoux ; le son, cette fois, est à peine audible. Louise, Gaëlle et Sébastien sont debout autour du lit de Rémy, qui est légèrement souffrant.*

SÉBASTIEN *(à Rémy)*

C'est quand même pas au bout du monde, Baltimore ! C'est sept heures de route, une heure d'avion. C'est à côté !

RÉMY

Je vais pas m'exiler aux États-Unis, c'est pas vrai.

SÉBASTIEN

Ça t'intéresserait pas d'avoir une chambre à toi, avec des fauteuils pour tes visiteurs, une salle de bains, des CD… ?

RÉMY

Quoi, quels CD ?

SÉBASTIEN

Pour écouter de la musique quand t'en aurais envie. Dans les pays civilisés, ils ont ça. Ils ont l'air climatisé aussi.

RÉMY

Ouais, on sait ce que ça coûte ces chambres-là…

SÉBASTIEN

Rien. Ça coûte rien. Je m'en occupe.

RÉMY

Je connais pas un chat là-bas.

SÉBASTIEN

On y va tous les quatre. On part demain. *(Sa mère lui sourit.)*

RÉMY *(énervé)*

Non, on part pas. Je veux pas aller aux États-Unis. Je veux pas mourir assassiné par des Mahométans enragés.

SÉBASTIEN *(à sa mère, qui soupire)*

Il est fou.

RÉMY

À l'époque, moi, j'ai voté pour la nationalisation des hôpitaux.
Je suis parfaitement capable d'assumer les conséquences de mes
actes.

SÉBASTIEN

Il y a juste les idiots qui changent pas d'opinion.

RÉMY

Je veux être entouré de mes amis !

SÉBASTIEN *(avec de grands gestes indiquant la chambre vide)*

Ils sont où tes amis ? Je vois pas d'amis ici !

RÉMY

Dominique est en voyage, mais je suis sûr que Pierre va…

SÉBASTIEN

En attendant, il y a personne. À part la folle qui te faisait une
scène ce matin. C'est d'elle que tu vas t'ennuyer ?

LOUISE

Quelle folle ?

RÉMY

Ça n'a aucun rapport.

SÉBASTIEN

Les sanglots, les yeux au ciel, mon Rémy! mon Rémy!

Gaëlle lui jette un regard réprobateur.

LOUISE

Mais qui, ça?

RÉMY

Marlène Dupire!

LOUISE

T'as pas couché avec Marlène Dupire!? C'est une folle finie!
Tout le monde sait ça!

SÉBASTIEN

C'est pour des histoires comme ça que t'as détruit ta famille!
Des histoires misérables, lamentables que…

RÉMY

J'ai rien détruit du tout.

SÉBASTIEN

T'as ruiné sa vie à elle! *(Indiquant sa mère.)* T'as ruiné mon
enfance, mon adolescence, celle de Sylvaine…

Gaëlle se mord les doigts.

RÉMY

C'est ça, c'est de ma faute si ma fille est une ratée !

SÉBASTIEN

Sylvaine aime la mer, elle est convoyeuse de voilier, et elle est extrêmement compétente. Je trouve ça moins raté que de moisir dans une université minable d'une province de ti-counes !

> *Duhamel les observe avec curiosité, tripotant toujours sa petite télé.*

RÉMY *(de plus en plus énervé)*

Écoute-moi bien, mon petit garçon. Tu gagnes peut-être un million par année, mais tu sais absolument rien de ce que…

SÉBASTIEN *(haussant le ton lui aussi)*

Il y a une chose que je sais : ma vie va pas ressembler à la tienne. Parce que si je suis ici, c'est pas à cause de toi, c'est à cause d'elle ! *(Désignant sa mère.)* C'est elle qui m'a élevé, pas toi. *(Air triste de Louise.)* C'est pour elle que je suis là, pas pour toi !

RÉMY *(furieux)*

Ben, dérange-toi donc pas ! T'as pas un avion à prendre pour Hong-Kong, là ? Vas-y donc. J'ai pas besoin de toi une seconde ! Tu m'emmerdes !

SÉBASTIEN

Ah, va donc chier, câlisse !

Sébastien sort, bientôt suivi de Gaëlle.

Intérieur nuit – Hôpital – Étage vide

Aveuglé par la colère, Sébastien quitte le corridor, descend un esca-
lier de service et se retrouve sur un étage vide, éclairé ici et là par des
lampes de sécurité. Il donne un coup de pied dans une poubelle qui
va rouler au loin.

SÉBASTIEN

Vieux tabarnak !

Il tente de se calmer. Gaëlle le rejoint, il secoue la tête. Elle s'ap-
proche et lui caresse le visage, la tête, le prend dans ses bras.

Intérieur nuit – Hôpital – Chambre de Rémy

Étendu sur son lit, les yeux grands ouverts, Rémy n'arrive pas à
trouver le sommeil, rongé par l'angoisse. Le patient hindou ne dort
pas lui non plus, ni celui qui respire dans un masque à oxygène.
On voit le soluté qui s'écoule du goutte à goutte. Rémy se retourne
sur son lit. Image d'un coucher de soleil sur la mer. Image de Syl-
vaine à la barre d'un bateau, cheveux au vent. Rémy s'agite,
enlève ses lunettes, se passe les mains sur le crâne, son visage est en
sueur.

Intérieur nuit – Appartement de Louise

Louise prépare du café pour Gaëlle et Sébastien.

SÉBASTIEN

Nous, on va rentrer à Londres.

LOUISE

Tu peux pas me faire ça.

SÉBASTIEN

Je lui trouve une chambre dans le meilleur hôpital du monde, il refuse. Tu l'as entendu : ça va toujours être comme ça.

LOUISE *(posant les tasses sur la table)*

Vous avez l'intention d'avoir des enfants, vous deux ?

GAËLLE *(jette un œil sur Sébastien, sourit)*

Sûr.

LOUISE

Tant qu'on a pas eu d'enfant, on comprend jamais à quel point nos parents nous ont aimé. Ton père a changé tes couches presque aussi souvent que moi. *(Gaëlle regarde Sébastien.)* Quand t'as fait ta méningite à trois ans, il t'a tenu, il t'a bercé dans ses bras pendant quarante-huit heures, sans jamais te laisser, sans jamais dormir, pour que la mort puisse pas s'approcher. *(Elle baisse les yeux, émue.)* Tu peux pas t'en souvenir, de ça.

Sébastien regarde Gaëlle qui le fixe avec intensité.

SÉBASTIEN *(à sa mère)*

Tu veux que je fasse quoi ?

LOUISE

Trouve-lui des médecins plus compétents ici.

SÉBASTIEN

Ça va pas changer grand-chose. J'en ai parlé avec Maxime.

LOUISE

Eh ben, au moins, trouve ses amis, trouve-lui une chambre confortable.

GAËLLE *(le prenant par l'épaule)*

Tu peux faire ça facilement.

Sébastien acquiesce de la tête.

Intérieur jour – Hôpital – Corridor

Sébastien est avec Suzanne, l'infirmière, qui met des médicaments sur un plateau.

SUZANNE

Non, changer d'hôpital, oublie ça. D'abord, c'est interdit par le ministère, et puis de toute façon, ailleurs, il passera pas l'urgence. Ils vont le parquer dans un corridor.

Elle s'engage dans le corridor, son plateau à la main. Sébastien la suit.

SÉBASTIEN

L'étage d'en dessous, ici, il est complètement vide?

SUZANNE

Oui, ça fait deux ans.

SÉBASTIEN

On pourrait pas l'installer là?

SUZANNE

Un chausson aux pommes avec ça peut-être? Tu peux toujours essayer. Il faut voir madame Pelletier à l'administration. Bonne chance.

Ils sont arrivés devant la chambre de Rémy. Sébastien entre.

Intérieur jour – Hôpital – Chambre de Rémy

Sœur Constance, voyant entrer Sébastien, quitte le chevet de Rémy.

SŒUR CONSTANCE

Je vous laisse. Est-ce que vous savez que vous êtes chanceux d'avoir un fils qui s'occupe de vous comme ça ?

RÉMY *(grognon)*

Vous trouvez ça, vous ?

SŒUR CONSTANCE

Regardez autour de vous. *(Indiquant les moribonds et monsieur Duhamel, toujours à regarder sa télé.)* En voyez-vous beaucoup des enfants au chevet de leurs parents ? Je travaille ici tous les jours et j'en vois pas souvent. Et quand ils viennent, ils restent pas longtemps.

MONSIEUR DUHAMEL *(s'approchant, son pot de chambre à la main)*

Moi, les miens, je les vois jamais, monsieur !

SŒUR CONSTANCE *(à Rémy)*

Vous avez eu un père, vous ? *(Rémy bouge les mains en signe d'évidence.)* Il a déjà été hospitalisé ?

RÉMY

À la fin, oui.

SŒUR CONSTANCE

Vous étiez là souvent ?

RÉMY

Il était à Chicoutimi. Moi, j'enseignais à Montréal. Et c'était pendant l'hiver, alors…

SŒUR CONSTANCE *(à Sébastien)*

Vous, vous êtes venu d'Angleterre ?

> *Sébastien acquiesce. Il est en train d'ouvrir son laptop et de le mettre en marche.*

SŒUR CONSTANCE *(à Rémy, un peu fâchée)*

Londres, Chicoutimi, pour vous c'est un peu la même distance ? La maladie vous a rendu confus ?

> *Elle sort. Sébastien dépose son laptop sans ménagement sur les genoux de son père.*

SÉBASTIEN *(d'un ton sec)*

Quand ce sera fini, t'appuies sur la touche « End ». « End », ça veut dire qu'on s'arrête. Un peu compliqué à comprendre, mais avec de la concentration, tu devrais pouvoir y arriver.

> *Sébastien sort.*

Extérieur jour – En mer

> *L'écran de l'ordinateur s'illumine et on voit apparaître un plan moyen fixe de Sylvaine. C'est une jeune fille de l'âge de Sébastien,*

en coupe-vent jaune clair, à bord d'un gros voilier au milieu de l'océan. La communication semble venir de très loin. Parfois, l'image numérique se décompose et le son connaît des coupes brusques.

SYLVAINE *(souriant)*

Salut, papa ! Tu vois, c'est l'océan Pacifique. *(Rémy regarde l'écran, visiblement ému.)* On a quitté l'Australie avant-hier et on s'en va vers la Nouvelle-Calédonie. Si tu regardes sur une carte, on est à peu près à huit cents milles à l'est de Sydney. La mer est belle et c'est un super bateau. Après Nouméa, on s'en va franc est vers un de mes endroits favoris, les îles Tuamotu. J'espère qu'on va s'arrêter assez longtemps pour faire de la plongée. Après, ça va être l'île de Pâques et finalement Valparaiso. *(Elle sourit.)* Je t'envoie plein d'air du large, il paraît que c'est ce qu'il y a de mieux pour la santé. Il faut que je m'arrête, parce que je passe par un satellite maintenant et c'est très cher. Je t'embrasse fort fort. À bientôt.

Elle lui souffle des baisers et le message se termine. Rémy regarde l'écran, les larmes aux yeux. Il appuie la tête sur l'oreiller, se met à sangloter. Puis il éteint brusquement l'ordinateur.

Intérieur jour – Hôpital

Sébastien se dirige vers la sortie de l'hôpital, où il doit s'écarter pour laisser passer un imposant policier en civil qui accompagne la ministre de la Culture et son attachée politique. Le trio se dirige vers l'ascenseur.

LA MINISTRE

Télé-Québec, c'est à quelle heure ?

L'ATTACHÉE *(consultant sa montre)*

Dix heures, mais il faudrait être là à moins dix pour voir les gens de la Caisse avant.

LA MINISTRE *(consultant sa montre)*

Il faut combien de temps d'ici à Télé-Québec ?

LE POLICIER *(consultant sa montre)*

Vingt, vingt-cinq minutes.

LA MINISTRE

Ça va aller.

> *Les trois s'engouffrent dans l'ascenseur.*

Intérieur jour – Corridor – Étage vide – Salle d'ergothérapie

> *Carole pousse Rémy sur sa chaise roulante dans une grande salle vide où l'attend la ministre.*

CAROLE

Mon Dieu, mais vous avez pas de chaise, je vais aller vous en chercher une.

LA MINISTRE

Non, ça va.

CAROLE

Vous êtes sûre, parce que je peux très bien…

LA MINISTRE

Ça va très bien comme ça. Je vous remercie.

CAROLE

C'est moi qui vous remercie.

> *Carole ressort de la pièce et referme la porte, devant laquelle veillent le policier et l'attachée.*

CAROLE

Je viens le rechercher quand ?

L'ATTACHÉE

La ministre m'a demandé de garder un agenda flexible.

CAROLE

Très bien.

Intérieur jour – Hôpital – Salle d'ergothérapie

LA MINISTRE

La directrice m'a dit que tu étais dans une chambre pluri-occupationnelle ?

RÉMY

Disons que c'est convivial.

LA MINISTRE

Je peux essayer de parler à ma collègue de la Santé, si tu veux, pour te trouver quelque chose d'un peu plus convenable.

RÉMY

Bof.

LA MINISTRE

Remarque qu'avec les coupures au niveau fédéral… As-tu écouté la conférence de presse du premier ministre ?

RÉMY

Je veux pas te faire de peine, mais ça fait au moins vingt ans que je suis plus capable d'endurer les politiciens. Les tiens comme les autres.

LA MINISTRE

Si j'étais toi, je m'en vanterais pas. On les connaît les résultats du désengagement de ta génération ! Le parti en paie le prix ! J'ai demandé à te rencontrer dans un endroit un peu discret, je tiens pas nécessairement à ce que toute la ville sache que je t'ai aimé. Parce que je t'ai aimé. Nous, les Québécoises, l'engagement amoureux, c'est quelque chose que nous sommes prêtes à assumer. Je t'ai attendu pendant un très long moment, à une époque où il y avait de la place dans ma vie pour des satisfactions d'ordre sentimental et, disons-le, physique. Le temps que j'ai investi dans notre relation fait partie d'un bilan presque entièrement déficitaire. Je veux que tu le saches. Tu t'en chercheras, une femme de mon envergure ! Je comprends très bien que je puisse être intimidante pour un macho habitué aux petites étudiantes. Il est évident que le fait de te retrouver face à une égale que tu pouvais pas impressionner avec deux ou trois citations a sans doute eu des répercussions sur le plan physique, qui n'étaient certainement pas à mon avantage. Mais de là à ce que, simplement pour m'humilier, tu t'envoies en l'air avec des Diane Léonard, des Dominique Saint-Arnaud, ça vraiment, c'était odieux. Est-ce que tu m'écoutes ?

Pendant la dernière partie de cette tirade, Rémy avait fermé les yeux et s'était recroquevillé.

RÉMY

J'ai un peu mal ici.

LA MINISTRE

Ah non, je suis désolée, l'excuse de la douleur, là, ça va pas du tout ! Nous les femmes, on est trop habituées à souffrir pour accepter ça. Ça, vraiment, là, non !

Intérieur jour – Hôpital – Corridor de l'administration

Sébastien s'avance dans un corridor bondé de malades. Il est encore au téléphone.

SÉBASTIEN *(au téléphone)*

Are you flying to Stavanger tonight?... O.K. well then I would strongly advise you to fix two thousand a day in case it gets worse...

> *Il arrive devant une porte, où sont écrits les mots « ACCÈS INTERDIT ». Il pousse la porte et débouche dans une nouvelle aile propre, calme et bien décorée.*

SÉBASTIEN *(toujours au téléphone)*

Tell you what, why don't you leave us an order at twenty-six and a half? At that level, there's a good chance of getting it filled before closing...

> *Un gardien de sécurité lui fait signe de s'arrêter.*

LE GARDIEN

Votre badge?

SÉBASTIEN *(au téléphone)*

Sorry, would you hold for me just a second? *(Au gardien.)* Quoi?

LE GARDIEN

Votre badge de sécurité?

SÉBASTIEN

Je viens voir madame Pelletier, je suis avec la Lloyd's de Londres.

LE GARDIEN *(l'air déconcerté)*

Ils vous ont pas donné une badge en bas ?

SÉBASTIEN

Non.

LE GARDIEN

C'est l'administration ici.

Sébastien hausse les épaules et reprend sa conversation téléphonique.

SÉBASTIEN

I'm back. Look at it this way : if the market improves, you still have eight thousand to do, if it falls further, at least you've got something done...

LE GARDIEN *(indiquant le bureau d'un air découragé)*

Dernier bureau à droite. La prochaine fois, faudra avoir une badge, par exemple.

Sébastien s'éloigne dans le corridor.

SÉBASTIEN *(parlant toujours au téléphone)*

I'll call London right away and tell them we have an order good 'till cancelled. John or Lisa will call you once it's filled, O.K. ? All right. Have a nice trip back. Call you tomorrow. Bye.

Intérieur jour – Hôpital – Bureau de madame Pelletier

Madame Pelletier vient à la rencontre de Sébastien. Il raccroche.

MADAME PELLETIER

Bonjour. *(Elle lui serre la main.)* Pauline Joncas-Pelletier. *(Elle fait entrer Sébastien dans son bureau, lui indique un fauteuil.)* Asseyez-vous, je vous en prie.

SÉBASTIEN

Merci.

MADAME PELLETIER

Mon assistante me dit que vous représentez la Lloyd's de Londres.

SÉBASTIEN

Pas du tout, je lui ai dit ça pour pouvoir vous rencontrer. Mon père est hospitalisé ici, au troisième étage. Je voudrais le déménager à l'étage inférieur, celui qui est entièrement vide, et lui faire aménager quelque chose de confortable.

Un moment de silence.

MADAME PELLETIER *(l'air exagérément attendri)*

C'est formidable ! C'est une démarche qui s'inscrit tout à fait dans le contexte de nos programmes de sensibilisation des intervenants familiaux, mais malheureusement les mises en disponibilité des infrastructures ont été ciblées en fonction des directives du Ministère dans le cadre du virage ambulatoire, et sur le plan du module, c'est impossible de prioriser des éléments de solution au niveau du bénéficiaire individuel. Mais je suis sûre que notre personnel d'accueil…

Sébastien sort de son porte-documents une chemise cartonnée qu'il glisse sur le bureau.

SÉBASTIEN

J'ai préparé un dossier ici, que je voudrais vous confier.

MADAME PELLETIER *(indifférente au dossier, parle comme un robot)*

Il faut que vous compreniez que nos allocations de ressources sont axées sur un mode de dispensation des soins *(on ne voit plus que sa bouche en gros plan, qui articule les mots d'une langue de bois)*, géré en fonction des paramètres de dépistage identifiés par la table de concertation de la région administrative 02…

Elle ouvre machinalement la chemise, qui ne contient qu'une feuille blanche pliée en deux à l'intérieur de laquelle elle découvre deux liasses de billets de cent dollars neufs. Elle reste interdite. Elle referme et repousse la chemise.

MADAME PELLETIER *(baissant le ton)*

Écoutez, c'est ridicule. On n'est quand même pas dans le Tiers-Monde ici.

SÉBASTIEN *(repoussant la chemise vers elle)*

Je vous laisse le dossier jusqu'à demain.

MADAME PELLETIER

Même si l'administration fermait les yeux, il y a tout le maillage syndical qu'il faudrait actualiser, et ça, c'est une problématique…

SÉBASTIEN *(sûr de lui, se lève et se dirige vers la sortie)*

Je m'occupe des syndicats. Ce dossier-là normalement serait réajusté sur une base, disons, hebdomadaire. *(Regard ébahi de madame Pelletier.)* Je reviens vous voir demain. Merci beaucoup.

Intérieur jour – Hôpital – Bureau du syndicat

> *On voit d'abord la porte vitrée d'un bureau sur laquelle on peut lire « SNTS », « Syndicat national des travailleuses et travailleurs de la santé ». La porte s'ouvre, laissant passer Sébastien et Ronald Héroux, le délégué général du syndicat.*

SÉBASTIEN

Ça va prendre cinq minutes, je veux simplement vous montrer l'endroit.

> *Ils font quelques pas en direction de l'ascenseur. Un employé d'entretien s'approche de Ronald.*

L'EMPLOYÉ

Il faut que je te parle, Ronald.

Il chuchote quelques mots à l'oreille de Ronald.

RONALD HÉROUX

Va m'attendre dans mon bureau.

L'EMPLOYÉ

Merci, Ronald.

> *Ronald et Sébastien entrent dans l'ascenseur. Un patient en chaise roulante veut y entrer aussi, mais Ronald lui barre la route et lui fait signe d'aller prendre un autre ascenseur.*

Intérieur jour – Hôpital – Étage vide

> *Les portes de l'ascenseur s'ouvrent sur l'étage vide. Sébastien et Ronald en sortent.*

SÉBASTIEN

Voilà. Alors, ce que je voudrais faire aménager, c'est une chambre sur cet étage-ci. Je vais vous indiquer.

RONALD HÉROUX

Regarde. Y a rien qui va se faire sans syndicat, O.K. ? Ça commence avec le syndicat, ça finit avec le syndicat. C'est clair, ça ?

SÉBASTIEN *(le regardant d'un air entendu)*

Pourquoi vous pensez que je commence par vous ?

Intérieur jour – Hôpital – Chambre vide

Ronald et Sébastien entrent dans une grande pièce vide.

SÉBASTIEN

C'est ici. Il faudrait repeindre, laver le plancher, nettoyer…

RONALD HÉROUX *(agressif)*

En ce moment, tu t'en rends peut-être pas compte, mais on parle de temps supplémentaire… Pis moi, mes gars…

SÉBASTIEN *(d'un ton abrupt)*

Payé cash.

RONALD HÉROUX

Cash ?

SÉBASTIEN

Cash. Un peintre…

RONALD HÉROUX

Deux.

Tout en parlant, ils se toisent comme des cow-boys dans un western.

SÉBASTIEN

Six heures ?

RONALD HÉROUX

Huit.

SÉBASTIEN

À combien ?

RONALD HÉROUX

Quarante.

SÉBASTIEN *(se plante devant Ronald)*

Trente-cinq. Je veux un lit, des rideaux, des meubles, des fauteuils dans la salle en face.

RONALD HÉROUX *(s'énervant)*

Hey, ça, c'est pas nous autres !

SÉBASTIEN

Regardez : vous engagez les gens, vous les payez, vous faites la supervision, et vous me chargez des frais raisonnables d'administration.

RONALD HÉROUX

Raisonnables ?

SÉBASTIEN

Pas au-dessus de vingt-cinq pour cent. *(Il sort son portefeuille.)* Je vous remets deux mille cinq cents pour aujourd'hui, et on ajustera nos comptes à tous les deux jours.

Il tend de l'argent à Ronald.

Intérieur jour – Hôpital – Chambre de Rémy

Rémy, qui s'était endormi, est réveillé par Sébastien qui cherche son ordinateur.

SÉBASTIEN

Mon laptop, il est où ?

RÉMY

Ton quoi ?

SÉBASTIEN

Mon ordinateur.

RÉMY

Je l'ai mis par terre, ici.

SÉBASTIEN

Il est pas là.

RÉMY

Comment ça, il est pas là ? !

SÉBASTIEN

Il y a rien par terre.

> *Sébastien, affolé, fouille dans le meuble de chevet, puis dans le placard.*

RÉMY

Je t'ai dit que je l'ai mis par terre, je l'ai pas mis dans le placard, je suis pas fou !

> *Regard perplexe de la famille du patient hindou, qui partage calmement un repas fait maison.*

SÉBASTIEN

Mais il est pas là !

RÉMY

Qu'est-ce que tu veux que je te dise, quelqu'un a dû le prendre !

SÉBASTIEN

Qui ? !

RÉMY

Je sais pas.

SÉBASTIEN *(haussant le ton, énervé)*

On dirait que tu te rends pas compte ! ? Les cinquante e-mails qui sont rentrés du bureau depuis hier soir, je vais les retrouver comment ? Toute la structure de mon deal avec la Norvège. J'avais pas de backup moi, là-dessus, je suis en train de la faire ! Le sais-tu ce que je fais dans la vie ? !

RÉMY *(exaspéré)*

Non, je le sais pas !

SÉBASTIEN *(furieux)*

Tu devrais le savoir.

RÉMY

Je le saurais si tu me l'avais expliqué !

SÉBASTIEN *(en criant)*

Je te l'aurais expliqué si tu m'avais déjà écouté !

Sébastien sort.

Intérieur jour – Hôpital – Poste de surveillance

Un gardien mange un bol de soupe assis devant des écrans de surveillance. Plusieurs écrans fonctionnent mal. L'un des écrans est branché sur une chaîne de télé. On voit des images de la destruction du World Trade Center, tandis qu'on entend la voix d'Alain Dussault.

ALAIN DUSSAULT *(hors-champ)*

Il y a eu quoi ? Trois mille morts à peu près ? *(Le gardien regarde l'écran, la bouche ouverte.)* Historiquement, c'est relativement insignifiant. Simplement, pour prendre un exemple américain, il est mort cinquante mille personnes à la bataille de Gettysburg. *(Alain apparaît à l'écran, il est assis à un bureau, on voit beaucoup de livres derrière lui. Un sous-titre apparaît : « Alain Dussault. C.N.R.S. »)* Par contre, ce qui est significatif, comme diraient mes vieux professeurs de l'université, c'est que le cœur de l'empire a été touché. Dans les conflits précédents, disons la Corée, le Viêtnam, la guerre du Golfe, l'empire avait toujours réussi à garder les barbares au-delà de ses marches, de ses frontières. Dans ce sens-là, on se souviendra, peut-être, je dis bien peut-être, de septembre 2001 comme du début des grandes invasions barbares.

VOIX OFF

Alain Dussault, je vous remercie beaucoup.

ALAIN DUSSAULT

Je vous en prie.

> *Sébastien se présente au comptoir derrière lequel se trouve le gardien. Celui-ci baisse le volume de sa télé et se tourne vers Sébastien.*

SÉBASTIEN

Excusez-moi, mais je viens de me faire voler un ordinateur.

LE GARDIEN *(l'air absent)*

Ah oui ?

SÉBASTIEN

Est-ce que c'est moi qui préviens la police, ou c'est vous qui le faites ?

LE GARDIEN

Remplissez donc la formule, ici.

Il lui tend une formule.

SÉBASTIEN

C'est quoi cette formule-là ?

LE GARDIEN

C'est pour la police. *(Il indique une pile de papiers.)* Regardez, j'ai déjà tout ça depuis lundi. *(Il se retourne vers l'écran de sa télé.)*

SÉBASTIEN

Les policiers viennent jamais ici ?

LE GARDIEN

Non. Ils viennent quand il y a des agressions. Comme la semaine dernière, on a eu un viol dans l'ancienne buanderie. Là, ils sont venus. Autrement, ils passeraient leur temps ici. On est dans un quartier pauvre. Les pauvres, ça vole, que voulez-vous. De toute façon, les employés aussi volent.

SÉBASTIEN

Le personnel ? !

LE GARDIEN

C'est pas difficile de voler des malades : ils ont les yeux fermés la moitié du temps. *(Il jette un coup d'œil sur le corridor.)* Les employés sont protégés par le syndicat. Pas grand-chose qu'on peut faire.

> *Il retourne à sa télé.*

Intérieur jour – Hôpital – Bureau du syndicat

> *Sébastien ouvre la porte du local du syndicat. Ronald Héroux est en train de discuter avec deux individus louches. Il y a aussi une secrétaire.*

SÉBASTIEN

Excusez-moi.

RONALD HÉROUX

Qu'est-ce que je peux faire pour toi, mon ami ?

SÉBASTIEN

J'ai perdu un ordinateur. Je l'ai laissé quelque part, je me souviens pas, peut-être dans la chambre de mon père. Je vous dis ça à tout hasard, au cas où quelqu'un trouverait un ordinateur portatif.

> *Ronald jette un regard sur ses deux acolytes.*

RONALD HÉROUX

On peut s'informer, mais je garantis rien.

SÉBASTIEN

Juste au cas.

RONALD HÉROUX

O.K., juste au cas, on va vérifier.

SÉBASTIEN

C'est très gentil, merci.

Intérieur jour – Hôpital – Chambre de Rémy

> On voit d'abord la page couverture d'un livre : Saint-Simon, Mémoires I, Éditions Yves Coriault. Rémy en lit un passage à sœur Constance.

RÉMY

« Écrire l'histoire de son pays et de son temps, c'est se conter à soi-même le néant du monde, de ses craintes, de ses désirs, de ses disgrâces, de ses fortunes ; c'est se convaincre du rien de tout par la courte et rapide durée de toutes ces choses, et de la vie des hommes ; c'est se rappeler que la félicité ni même la tranquillité ne peuvent se retrouver ici-bas. »

SŒUR CONSTANCE

C'était un pessimiste.

RÉMY

Un historien.

SŒUR CONSTANCE

Comme vous.

RÉMY

Oh non, moi j'étais seulement professeur d'histoire. C'est pas du tout la même chose.

Intérieur jour – Piazza Borghese – Rome

On voit d'abord la piazza Borghese à Rome. On entend un télé-phone sonner. Dans son appartement qui donne sur la Piazza, Claude décroche.

CLAUDE

Pronto… Si, lui-même… Oui oui, Sébastien, je me souviens très bien… Comment vas-tu, Sébastien ? Ça fait longtemps… *(Son regard s'attriste.)*

Extérieur jour – Rues de Montréal

Sébastien est au volant de sa voiture dans les rues de Montréal. Il parle au téléphone.

SÉBASTIEN *(à Diane)*

Il est très gravement malade. Et il est complètement seul. À part ma mère, il n'y a personne autour de lui.

Intérieur jour — Maison de campagne de Diane

> *Diane se trouve dans la cuisine de sa maison de campagne. Dehors, un homme aux cheveux gris, habillé plus ou moins en cow-boy, se berce en grillant une cigarette. Elle parle au téléphone.*

DIANE *(à Sébastien)*

Je savais qu'il devait entrer à l'hôpital, mais j'avais aucune idée que... *(Le cow-boy lui jette un long regard.)* Je vais presque plus jamais à Montréal, moi. *(Elle se tait, songeuse.)* Il est où là, maintenant, il est toujours à l'hôpital ?

Intérieur jour — Maison de Pierre — Montréal

> *Pierre est debout dans le living-room de sa maison encombrée de jouets, de berceaux, etc. On dirait une pouponnière. On entend un enfant hurler de rage. Pierre parle au téléphone. On entend hors-champ la voix irritée de Ghislaine.*

GHISLAINE *(hors-champ)*

Pierre, j'ai besoin de toi maintenant !

> *Pierre couvre son oreille libre de sa main.*

PIERRE *(à Sébastien)*

C'est toujours la même chose : la rentrée scolaire, on a pas trouvé de garderie, ma femme a eu la grippe, la vie qui passe...

Extérieur / intérieur jour – Navire de croisière – Alaska

Un petit navire de croisière glisse dans un fjord de l'Alaska. Dominique parle dans un radiotéléphone.

DOMINIQUE *(à Sébastien)*

... Normalement, on doit faire escale à Juneau demain. Je vais essayer de trouver un avion...

Intérieur jour – Hôpital – Chambre de Rémy

Rémy est debout à la fenêtre. Sœur Constance est assise au pied de son lit.

SŒUR CONSTANCE

Vous dites ça parce qu'on vit dans une époque horrible...

RÉMY *(regardant par la fenêtre)*

Pas spécialement horrible, non, non, pas du tout. Contrairement à ce que les gens pensent, le XXe siècle a pas été particulièrement sanguinaire. Les guerres ont fait cent millions de morts. C'est un chiffre généralement admis. *(Il se tourne vers sœur*

Constance.) Ajoutez dix millions pour le goulag russe, les camps chinois on saura jamais, disons vingt millions, vous arrivez à cent trente, cent trente-cinq millions de morts. C'est pas très impressionnant si vous pensez qu'au XVIe siècle les Espagnols et les Portugais, sans bombes et sans chambres à gaz, ont réussi à faire disparaître cent cinquante millions d'Indiens d'Amérique latine. *(Rémy revient vers sœur Constance avec sa marchette.)* C'est du travail, ça, ma sœur, cent cinquante millions de personnes à la hache! Vous me direz qu'ils avaient la bénédiction de votre Église, mais c'est quand même du beau travail. À tel point d'ailleurs qu'en Amérique du Nord les Anglais, les Hollandais, les Français et éventuellement les Américains se sont sentis inspirés et ils en ont égorgé cinquante millions à leur tour. Deux cents millions de morts au total. Le plus grand massacre de l'histoire de l'humanité, et ça s'est passé ici, là, autour de nous, et pas le moindre petit musée de l'holocauste. *(Il s'éloigne de sœur Constance qui a écouté tout cela, l'air morfondu.)* L'histoire de l'humanité, ma sœur, c'est une histoire d'horreur.

Il tousse, cette tirade l'a épuisé.

Intérieur nuit – Hôpital – Chambre de Rémy

Dans sa chambre, Rémy n'arrive pas à dormir. On le sent tourmenté, angoissé. Monsieur Duhamel regarde toujours sa petite télé.

Intérieur nuit – Clinique de Baltimore

Tard dans la soirée, Maxime est toujours dans la clinique de Baltimore. Il parle à Sébastien au téléphone.

MAXIME

Je sais qu'il y a eu un programme expérimental d'utilisation d'héroïne, il y a quelques années. Essaie de voir si ça existe encore.

Intérieur nuit – Hôtel – Chambre de Sébastien

Sébastien est au lit, dans les bras de Gaëlle. Il écoute Maxime.

MAXIME *(hors-champ)*

C'est cinq à huit fois plus efficace que la morphine. À la fin, ça fait une différence énorme. Méfie-toi des médecins catholiques.

SÉBASTIEN

Ah oui ?

MAXIME *(hors-champ)*

Ils adorent les patients qui souffrent. Tu sais : la douleur qui expie les péchés. Essaie de lui éviter ça, si tu peux.

SÉBASTIEN

O.K., merci.

MAXIME

Tu me rappelles quand tu veux. Essaie de te reposer.

SÉBASTIEN

Bonne nuit.

Sébastien raccroche. Il serre Gaëlle dans ses bras.

Intérieur nuit – Hôpital – Chambre de Rémy

Incapable de dormir, Rémy se lève et regarde par la fenêtre. Il a l'air très angoissé. Dehors, on voit un échangeur d'autoroutes, des voitures qui circulent.

Intérieur jour – Hôpital – Nouvelle chambre de Rémy

Sœur Constance cherche la nouvelle chambre de Rémy sur l'étage vide. Elle la trouve et découvre Rémy en compagnie de Louise et Gaëlle. La chambre est spacieuse, propre et joliment décorée.

SŒUR CONSTANCE

Eh ben dites donc! Vous êtes un ami du premier ministre? Ou vous allez jouer pour les Canadiens de Montréal?

LOUISE

Il a un fils qui s'occupe de lui.

SŒUR CONSTANCE

Je le sais, et il est trop bête pour lui dire seulement merci.

RÉMY

Comprenez-moi, ma sœur: j'ai un fils capitaliste, ambitieux et puritain, moi qui toute ma vie ai été un socialiste voluptueux.

> *Diane et Dominique sont soudainement apparues dans l'embrasure de la porte.*

DIANE *(l'air coquin)*

Voluptueux est nettement insuffisant, ma sœur.

> *Le regard de Rémy s'illumine en les voyant.*

DOMINIQUE

Libidineux.

DIANE

Débauché.

DOMINIQUE

Bestial.

DIANE

Lascif.

DOMINIQUE

Pervers.

Diane, la première, vient l'embrasser.

DIANE

Comment ça va, gros concupiscent ?

RÉMY

Mieux !

Elle cède la place à Dominique.

DOMINIQUE

Laisse-moi t'embrasser, vipère lubrique.

RÉMY

T'es rentrée quand ?

DOMINIQUE

Hier.

RÉMY

Et alors, l'Alaska ?

DOMINIQUE

Belle et froide, comme moi.

Comme dans un portrait de famille, Rémy est entouré de Gaëlle
et Louise d'un côté, et de Dominique et Diane de l'autre. Sœur
Constance est au pied du lit.

RÉMY *(l'air soudainement heureux)*

Voyez, ma sœur. Mon exquise belle-fille, mon héroïque femme,
et les deux plus charmantes de mes maîtresses : je peux mourir
en paix.

SŒUR CONSTANCE

Et vous allez brûler dans les flammes de l'enfer !

RÉMY

Et je ne serai pas seul. Pour ces deux-là *(indiquant Gaëlle et
Louise)*, je sais pas, mais connaissant les turpitudes passées de ces
deux-ci *(indiquant Diane et Dominique)*, je suis sûr qu'elles vont
venir griller avec moi. Et on ne changera pas de place avec vous
(sœur Constance le regarde en souriant), condamnée à jouer de la
harpe sur un nuage pendant l'éternité, assise entre Jean-Paul II,
un Polonais sinistre, et mère Teresa, une Albanaise gluante *(sœur
Constance sourit davantage)*.

LOUISE

Excusez-le, ma sœur, la maladie a atteint son cerveau.

RÉMY

Mais c'est une réalité ethnologique : les Albanaises sont souvent
gluantes et les Polonais toujours sinistres.

DOMINIQUE

Car les malheurs de la Pologne…

DIANE ET RÉMY *(en chœur)*

… sont une des preuves de l'existence de Dieu !

Intérieur jour – Centrale de police

> *Sébastien entre à la centrale de police de la ville de Montréal. Il se dirige vers une jeune policière en uniforme assise derrière le bureau d'accueil.*

SÉBASTIEN

Bonjour. Il faudrait que je puisse rencontrer quelqu'un, un policier, un enquêteur spécialisé dans le domaine de la drogue.

> *La policière regarde Sébastien sans rien dire, puis lui indique une salle d'attente.*

LA POLICIÈRE

Asseyez-vous.

> *Elle décroche un téléphone et ne quitte pas Sébastien des yeux. Sébastien compose un numéro sur son portable.*

Intérieur jour – Hôpital – Étage vide

> *Claude et Alessandro avancent dans le corridor, les bras chargés de bouteilles de vin, de chocolats, de friandises. Ils s'arrêtent devant la porte ouverte de Rémy. La surprise est totale.*

CLAUDE

Buon giorno a tutti ! *(Il se précipite dans les bras de Rémy.)* Come stai, gros porc ?

RÉMY

Qu'est-ce que tu fais là, grand fifi !

CLAUDE

On débarque : Roma, Milano, Toronto, Montreale. Faticoso ! *(Il lui présente son compagnon.)* C'est Alessandro.

> *Tout le monde s'embrasse, tout le monde parle en même temps.*

Intérieur jour – Centrale de police

> *À la centrale de police, un policier en civil, Gilles Levac, se dirige vers Sébastien qui est toujours au téléphone. Il est accompagné d'une jeune femme à la carrure athlétique.*

GILLES LEVAC

Gilles Levac. Ma partenaire Kim Delgado.

Sébastien range son portable. Échange de poignées de mains. Les policiers font entrer Sébastien dans une salle d'interrogatoire. C'est une pièce assez petite, dont trois des quatre murs sont couverts de miroirs. Au centre, une table.

GILLES LEVAC

Asseyez-vous.

Les policiers s'assoient d'un côté, Sébastien de l'autre.

SEBASTIEN *(parlant rapidement)*

Merci. Mon père est hospitalisé ici, à Montréal, en ce moment. Il est très mal soigné, évidemment, et il commence à souffrir beaucoup. J'ai un ami médecin qui m'a conseillé d'essayer de lui procurer de l'héroïne. *(Un silence.)* C'est un domaine que je connais très peu. J'ai fumé du pot quand j'étais étudiant, comme tout le monde. Un peu de hasch à l'occasion, avec des collègues de travail. J'ai essayé la coke trois ou quatre fois, mais j'ai pas aimé le feeling. Et une fois, à Paris, j'ai pris le truc mexicain, là, qui vient du cactus…

GILLES LEVAC

La mescaline.

SÉBASTIEN

Exactement. C'est très étrange, ça, comme effet. Récemment, quelqu'un m'a donné un cachet d'ecstasy : j'ai pas détesté ça. Vous voyez que je suis pas un spécialiste, et ce que je me suis dit, c'est que la drogue circule dans toutes les villes du monde, les policiers connaissent les points de vente. Je me suis imaginé, peut-être un peu naïvement, que vous pourriez m'indiquer des zones où il y a de l'héroïne de bonne qualité en quantité suffisante.

Un silence.

GILLES LEVAC

Le mandat de la police, c'est d'arrêter les trafiquants, pas de fournir des informations aux consommateurs.

SÉBASTIEN

J'aimerais ça que vous me preniez pour quelqu'un d'intelligent qui veut simplement gagner du temps.

GILLES LEVAC

Moi, j'aimerais ça que vous me preniez pour quelqu'un de pas trop con qui voudrait pas lire dans un magazine de la semaine prochaine : *La police facilite à notre correspondant l'achat de stupéfiants.*

SÉBASTIEN

Est-ce que j'ai l'air de quelqu'un qui…

GILLES LEVAC *(indiquant sa collègue)*

Elle et moi, on n'aimerait pas ça finir notre carrière en dirigeant le trafic à Chibougamau.

SÉBASTIEN

Je vous assure que j'ai rien à voir avec les médias !

GILLES LEVAC

Comment voulez-vous que je le sache ?

SÉBASTIEN

Je suis opérateur de marché chez MacDougall Deutsch à Londres, c'est pas difficile à vérifier.

Sébastien lui tend sa carte professionnelle.

GILLES LEVAC

C'est pas difficile d'imprimer des fausses cartes.

Un silence.

SÉBASTIEN

Bon, eh bien, je suis désolé de vous avoir dérangés.

Il se lève, les policiers se lèvent aussi. Sébastien leur tend la main.

SÉBASTIEN *(ironique)*

Je sens que je vais être obligé de passer mes prochaines nuits dans des discothèques. À moins que je m'adresse directement aux motards... Vous auriez pas le numéro de téléphone d'un de leurs bunkers ? Même pas ?

Intérieur jour – Hôpital – Étage vide

> *Pierre marche dans le corridor avec un bébé dans les bras. Sa très jeune femme Ghislaine l'accompagne, elle aussi a un enfant dans les bras.*

GHISLAINE

Je t'avertis, là : on reste pas longtemps, il faut être chez Costco avant que ça ferme, et puis maman nous attend à cinq heures et demie.

PIERRE

Oui, oui, d'accord.

GHISLAINE

Et puis je veux pas être celle qui donne le signal du départ.

PIERRE

Non, non, t'inquiète pas.

> *Ils s'arrêtent devant la porte ouverte de la chambre.*

DOMINIQUE *(les voyant)*

La famille Citrouillard !

> *Tout le monde s'embrasse.*

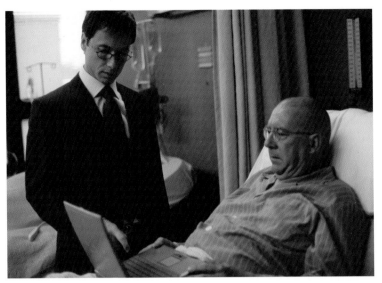

« Un peu compliqué à comprendre, mais avec de la concentration, tu devrais pouvoir y arriver. »
Stéphane Rousseau et Rémy Girard

« Qu'est-ce que je peux faire pour toi, mon ami ? »
Denys Arcand, Jean-Marc Parent et Stéphane Touzain

Rémy Girard

« Il a un fils qui s'occupe de lui. »
Marina Hands, Dorothée Berryman et Rémy Girard

Louise Portal et Dominique Michel

« Buon giorno a tutti ! »
Toni Cecchinato et Yves Jacques

« Gilles Levac. Ma partenaire Kim Delgado. »
Stéphane Rousseau, Sofia de Medeiros et Roy Dupuis

« La famille Citrouillard ! »
Mitsou Gélinas et Pierre Curzi ; enfants : Élodie Chouinard et Léa Rouleau

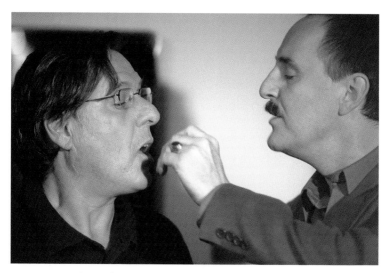

« Le ministre lui-même n'a aucune idée de notre existence. »
Pierre Curzi et Yves Jacques

« Je crains, ma chérie, que ceux avec lesquels moi j'ai couché ne soient restés indifférents à tes appas, aussi abondants soient-ils. »
Yves Jacques, Louise Portal et Dominique Michel

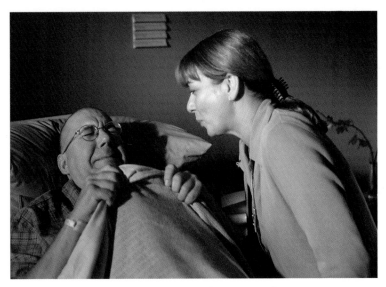

« C'est long, l'éternité. Gros porc, gros fumier, gros fumier, gros porc… »
Rémy Girard et Johanne Marie Tremblay

« C'est pour toi que Nathalie achète ? »
Stéphane Rousseau et Yves Desgagnés

Extérieur jour – Centrale de police – Stationnement

Au volant de sa voiture, Sébastien s'apprête à quitter le stationne-ment de la centrale de police. Levac s'approche, Sébastien descend la glace de sa portière. Levac se penche vers lui.

GILLES LEVAC

Juste pour votre information : les motards sont des épais qui vendent des drogues d'épais à d'autres épais. Ils touchent pas à l'héroïne.

SÉBASTIEN

O.K.

GILLES LEVAC

Autrefois, l'héroïne c'était pour les gens riches. Maintenant les prix ont beaucoup baissé, c'est différent. Mais il reste une sorte de tradition : c'est la drogue des musiciens, des poètes.

Tout en parlant, Levac jette quelques coup d'œil autour de lui. On voit une caméra vidéo qui pourrait filmer cet échange.

SÉBASTIEN

Vous me dites de chercher autour de moi ?

GILLES LEVAC

Je vous dis rien du tout. Je vous parle de rumeurs largement dif-fusées dans les médias.

SÉBASTIEN *(l'air reconnaissant)*

O.K.

Intérieur jour – Hôpital – Nouvelle chambre de Rémy

> *Dans la chambre de Rémy, les bouteilles apportées par Claude et Alessandro ont été ouvertes. Tous boivent le vin et les alcools dans des verres d'hôpital. Ils mangent des chocolats et des petits fours. L'atmosphère est festive.*

CLAUDE *(à Dominique)*

Mais toi, t'enseignes plus maintenant ?

DOMINIQUE

La retraite.

DIANE

Dorée !

CLAUDE

Toi ?

DIANE

Je suis retournée à la campagne, je donne des cours au Collège de Saint-Jean.

CLAUDE

Toujours l'histoire du Canada ?

PIERRE *(étonné)*

Oh, mon Dieu…

DIANE

Il y a plus d'histoire du Canada !

CLAUDE

Comment, il y a plus d'histoire du Canada ?

DIANE

On a remplacé ça par l'histoire universelle.

PIERRE

Du premier empire égyptien jusqu'à la guerre d'Afghanistan.

DOMINIQUE

En vingt-huit heures maximum.

PIERRE

Incluant l'histoire de l'art et l'histoire des religions.

CLAUDE

Mais ils apprennent quoi, les étudiants ?

RÉMY

Les communications et les multimédias.

ALESSANDRO

C'est pareil partout.

DIANE *(à Claude)*

Mais toi, tu fais quoi au juste ?

CLAUDE *(s'approchant du lit de Rémy)*

Ma chère, je suis le directeur général de l'Institut universitaire canadien de Rome.

RÉMY *(ironique)*

Et qu'est-ce que fait au juste l'Institut universitaire canadien de Rome ?

CLAUDE

Eh bien, nous sommes un organisme culturel très pointu *(il se rapproche d'Alessandro),* au service des étudiants universitaires canadiens… à Rome ! *(Il prend le plateau de petits fours que lui tend Alessandro.)*

> *Ils sont tous au bord du fou rire.*

DOMINIQUE

Et il y a combien d'étudiants universitaires canadiens à Rome ?

CLAUDE

Eh bien… *(il jette un œil sur Alessandro)* un certain nombre… *(Il mange un petit four.) (Rires.)* Pourquoi, ça t'intéresse ?

PIERRE

C'est la dilapidation de nos taxes qui nous intéresse !

CLAUDE *(se dirigeant vers Pierre avec son plateau)*

Mais nous sommes une opération tout à fait modeste. Évidemment, le directeur général est obligé d'avoir un appartement de fonction…

ALESSANDRO

Piazza Borghese.

CLAUDE

Où vous êtes tous toujours invités en permanence, vous le savez.

PIERRE

Et vous n'avez pas été touchés par les récentes coupures de budget ?

CLAUDE

Rigoureusement impossible *(il met une bouchée dans la bouche de Pierre)* : l'Institut est caché dans le delta du marécage budgétaire des Affaires étrangères. Le ministre lui-même n'a aucune idée de notre existence.

DIANE *(l'air dépité)*

Avec qui est-ce qu'il aurait fallu que je couche, moi, pour avoir une job comme ça ?

CLAUDE *(prenant Diane par la taille)*

Je crains, ma chérie, que ceux avec lesquels moi j'ai couché ne soient restés indifférents à tes appas *(il resserre son étreinte sous sa poitrine)*, aussi abondants soient-ils.

DIANE

L'abondance a ses amateurs, mon trésor.

CLAUDE

Pas aux Affaires étrangères !

> *Diane lui donne une tape sur la main, tous rient. Rémy s'étrangle dans son rire. Tous le regardent avec inquiétude.*

Intérieur jour – Hôpital – Hall d'entrée

> *Sébastien traverse le hall d'entrée de l'hôpital en composant un numéro sur son portable. La porte du bureau du syndicat s'ouvre et l'acolyte de Ronald Héroux lui fait signe de s'approcher. Il remet à Sébastien son laptop.*

L'ACOLYTE

C'est ça ?

SÉBASTIEN

Ça m'a l'air de ça. Il y a quelqu'un qui l'a retrouvé quelque part ?

L'ACOLYTE *(l'air entendu)*

C'est ça.

Intérieur jour – Hôpital – Nouvelle chambre de Rémy

Dans un coin de la chambre de Rémy, Gaëlle tient un des enfants de Pierre dans ses bras, Ghislaine berce l'autre.

GAËLLE

Elle a quel âge ?

GHISLAINE

Onze mois.

GAËLLE

Elle est tellement mignonne ! Moi, je veux plein d'enfants.

GHISLAINE

Ç'a été toute une bataille pour avoir celle-là. Pierre se trouvait trop vieux.

GAËLLE

Je quitte le travail l'année prochaine pour avoir mon premier.

GHISLAINE

Mais tu as une très bonne job, toi, non ?

GAËLLE

Je m'en fiche. Je recommencerai après. Je veux une famille. J'en ai pas eu. Je vais m'en faire une.

Intérieur jour – Hôpital – Étage vide

> *Dominique, Diane, Claude et Pierre sortent de la chambre de Rémy suivis de Sébastien. Ils font quelques pas dans le corridor.*

SÉBASTIEN *(à tous)*

Il faut que je lui trouve de l'héroïne. Je cherche quelqu'un qui aurait des contacts.

CLAUDE

Moi, je suis parti depuis trop longtemps.

> *Il se tourne vers Pierre.*

PIERRE

La seule poudre que je consomme en ce moment, c'est Baby's Own pour les fesses de bébé.

DIANE

Je peux essayer de demander à ma fille.

> *Voyant l'air grave de Diane, Pierre, Claude et Dominique s'éloignent et retournent dans la chambre de Rémy.*

DIANE *(à Sébastien)*

Te souviens-tu de Nathalie ?

SÉBASTIEN

Oui, un peu.

DIANE

Je te promets rien. J'ai pas souvent de ses nouvelles.

> *Il lui tend son téléphone portable. Diane compose un numéro. Elle écoute un message enregistré.*

DIANE

Bonjour, ma chouette. C'est Diane, c'est maman. *(Elle s'éloigne dans le corridor avec le téléphone.)* Je m'ennuie de toi, ma chouette. Je sais pas si tu te souviens de Sébastien, le fils de mon ami Rémy à l'université. Vous avez souvent joué ensemble quand vous étiez enfants. Il voudrait te rencontrer. Il a des renseignements, je pense, à te demander. Est-ce que tu pourrais faire ça pour moi, ma chouette ? Tu peux me rappeler si tu veux, n'importe quand, ou si tu préfères pas me parler, je vais te laisser directement son numéro à lui…

> *Elle regarde le numéro inscrit sur le portable.*

Intérieur jour – Hôpital – Nouvelle chambre de Rémy

> *Dans la chambre, Ghislaine et Pierre s'apprêtent à partir, leurs enfants dans les bras.*

PIERRE

C'est parce qu'on doit être chez Costco avant la fermeture, il faut acheter une demi-tonne de couches. C'est extrêmement coûteux des enfants *(regards perplexes de Claude et Alessandro),* on se demande pourquoi les populations du Tiers-Monde en font autant.

GHISLAINE

C'est tellement stupide ce que tu dis, tais-toi donc ! *(Dominique lève les yeux au ciel.)* Si c'est ça que tu enseignes à l'université, ça doit pas être brillant. *(À Rémy.)* Tu l'as pas fait venir encore, le livre dont je t'ai parlé ?

RÉMY

Lequel ?

GHISLAINE

La Voie secrète de la guérison, par le Swami Rapudanthra. *(Regards perplexes de Claude et Alessandro.)*

RÉMY

J'ai pas eu le temps, malheureusement.

GHISLAINE *(d'un ton autoritaire)*

Je vais venir te le porter. Tu sais, la maladie ça commence dans la tête et ça se guérit dans la tête. *(Regards inquiets de Louise et de Gaëlle.)* Je dis ça à Pierre, moi, tout le temps.

RÉMY *(ne voulant pas la contrarier)*

C'est bien possible.

GHISLAINE

Bon, ben, nous autres on se sauve, bye tout le monde !

PIERRE

À bientôt.

> *Ils sortent et referment la porte derrière eux.*

DOMINIQUE

Elle a quel âge exactement ?

CLAUDE

C'est pas un problème d'âge, c'est parce que ses seins sont plus gros que son cerveau.

LOUISE

Ah, arrête !

CLAUDE

Mais c'est vrai ! La quantité de sang qu'il faut simplement pour irriguer tout ça *(indiquant deux gros seins)* appauvrit forcément le cerveau. C'est une évidence physiologique !

> *La porte s'ouvre de nouveau et la tête de Pierre se glisse dans l'embrasure.*

PIERRE

Je ne veux pas de commentaires. Elle m'a donné deux filles qui ont radicalement changé ma vie, et il lui suffit d'un revers négligent de la main pour me faire bander comme une bête, ce qui à nos âges est providentiel, vous en conviendrez. Amici, vale.

Extérieur nuit – Rue devant un café

Nathalie marche dans la nuit. Elle s'arrête devant un café. À travers la vitrine, elle observe Sébastien qui travaille à son ordinateur.

Intérieur nuit – Café

Nathalie entre dans le café. Sébastien la voit et s'approche. Elle le regarde, l'air timide.

SÉBASTIEN

Nathalie ? *(Il lui serre la main.)* Je pense pas que je t'aurais reconnue. *(Elle baisse les yeux, l'air troublé.)*

Ils se dirigent vers la table de Sébastien tout au fond. Un garçon sert à Nathalie un gros morceau de gâteau au chocolat et un verre de lait.

SÉBASTIEN

Est-ce que t'as un travail régulier, toi, dans la vie ? *(Elle fait signe que oui.)* Qu'est-ce que tu fais ?

NATHALIE

Correctrice.

SÉBASTIEN

Dans une maison d'édition ?

NATHALIE

Boréal.

SÉBASTIEN

Donc, t'as un horaire assez flexible. *(Elle fait signe que oui.)* Moi, ce que je voulais te proposer, c'est de payer pour ta… consommation *(Nathalie l'écoute tout en mangeant son gâteau)* en même temps que pour celle de mon père, plus un salaire raisonnable pour les heures que tu passes avec lui.

NATHALIE

Tu veux de la brune ou de la blanche ?

SÉBASTIEN

Je connais rien à ça.

NATHALIE *(elle sourit, prend une bouchée de gâteau)*
Tu veux qu'il fume ou qu'il se pique ?

SÉBASTIEN

Je te fais confiance.

NATHALIE

Tu devrais pas.

SÉBASTIEN

Pourquoi ?

NATHALIE *(tout en mangeant)*

Il paraît qu'il faut jamais faire confiance aux junkies. *(Sébastien l'écoute attentivement.)* Ils sont trop habitués à mentir. *(Elle boit une gorgée de lait.)*

Extérieur nuit – Rue d'Outremont

> *Sébastien et Nathalie en voiture. Une rue bourgeoise d'Outremont. Nathalie indique une porte.*

NATHALIE

C'est là.

> *Sébastien gare la voiture. Il sort son portefeuille.*

SÉBASTIEN

Il faut combien ?

NATHALIE *(hausse les épaules, visiblement nerveuse)*

Cinq cents.

Sébastien lui donne l'argent. Elle sort, se dirige vers la porte du dealer, sonne, attend. La porte s'ouvre, elle entre. Dans l'auto, Sébastien sort son téléphone et compose un numéro. Du bout de la rue, une autre voiture s'approche, passe à côté de Sébastien lentement et s'arrête. Sébastien détourne la tête pour essayer de cacher son visage. Il referme son téléphone. Un homme descend de la voiture et vient vers Sébastien, qui verrouille frénétiquement ses portières. Une main frappe dans la glace de sa portière. Sébastien est coincé. Il déverrouille les portières. Levac entre et s'assoit à l'avant.

GILLES LEVAC

Pas chaud !

SÉBASTIEN

Je suppose que j'aurais dû m'en douter.

GILLES LEVAC

De quoi ?

SÉBASTIEN

Que vous me suiviez.

GILLES LEVAC

Vous vous sentez suivi ?

SÉBASTIEN

La personne qui est avec moi a rien à voir avec ça. C'est la fille d'une amie de mon père qui voulait me rendre service. *(Levac acquiesce de la tête.)* Arrêtez-moi si vous voulez, mais gardez-la hors de ça.

GILLES LEVAC *(en riant)*

Vous voulez que je vous arrête ?

SÉBASTIEN

Écoutez, c'est la première fois de ma vie que j'ai affaire avec la police…

GILLES LEVAC

Ça se voit…

SÉBASTIEN

Je sais que vous devez penser que je suis un imbécile…

GILLES LEVAC

Pas du tout. Vous avez localisé Olivier en deux jours. C'est bon.

SÉBASTIEN

Olivier ?

GILLES LEVAC

Le dealer.

SÉBASTIEN

Vous le connaissez ?

GILLES LEVAC

C'est un des meilleurs. Il est approvisionné par des intégristes iraniens. Allah est grand.

SÉBASTIEN

Vous l'arrêtez pas ?

GILLES LEVAC

Vous voulez que j'arrête tout le monde ? C'est une manie que vous avez ? Je peux l'arrêter, mais on va pas trouver plus qu'une journée ou deux de stock dans son appartement. Il a pas de casier judiciaire, les prisons sont pleines : il va être sorti demain soir.

> *Un monsieur distingué, portant une barbe d'intellectuel, sort de l'appartement d'Olivier, descend l'escalier et passe tout près d'eux dans la voiture.*

GILLES LEVAC

Le reconnaissez-vous ?

SÉBASTIEN

C'est qui ?

GILLES LEVAC

Michel Richer, le biologiste.

SÉBASTIEN

Vous vous attaquez jamais aux fournisseurs ?

GILLES LEVAC

Oh oui, tout le temps. On travaille deux trois ans, on finit par faire condamner une bande d'Iraniens. Tout le monde est content, et puis les Iraquiens prennent leur place, ou les Libanais, les Turcs, les Italiens, et là on parle pas des Vietnamiens, des Thaïs, des Chinois, des Cambodgiens, ceux-là on peut jamais infiltrer. En plus, là, maintenant, il y a les Colombiens qui viennent de se mettre au pavot. Ça va être amusant, ça. C'est une invasion. Il y a trop de gens qui veulent trop de drogues. Les Américains ont six millions de personnes en prison. Ils en finissent plus de construire des pénitenciers. Ils sont tellement stupides.

> *Une Porsche arrive rapidement et se gare de l'autre côté de la rue.*
> *Un jeune homme élégant vêtu de cuir en descend, traverse la rue et*
> *monte chez Olivier.*

SÉBASTIEN

Alors vous faites quoi, ici, maintenant ?

GILLES LEVAC

Je fais mon devoir.

SÉBASTIEN

Ah bon ?

GILLES LEVAC

Est-ce que vous auriez peur de vous promener à pied ici le soir ?

SÉBASTIEN

Non.

GILLES LEVAC

Même avec votre femme ?

SÉBASTIEN

Non, je pense pas.

GILLES LEVAC

C'est ça mon devoir. Je suis un gardien de la paix.

> *La partenaire de Levac, Kim, sort de leur voiture banalisée et s'approche de celle de Sébastien. Levac baisse la vitre.*

KIM DELGADO

Il y a des poissons qui mordent dans l'étang de monsieur Zampino.

> *Levac ouvre la portière.*

GILLES LEVAC

On va aller à la pêche.

SÉBASTIEN

Vous avez fait quoi comme études ?

GILLES LEVAC

Pourquoi vous voulez savoir ça ?

SÉBASTIEN

Curiosité.

GILLES LEVAC

Criminologie, mineure en psycho. Vous ?

SÉBASTIEN

Mathématiques. Mineure en économie.

GILLES LEVAC *(souriant)*

Faites attention à vous.

SÉBASTIEN

Vous aussi.

Levac sort et s'éloigne.

Intérieur nuit – Hôpital – Nouvelle chambre de Rémy

La lumière est tamisée. Nathalie allume une bougie sur la table de chevet.

RÉMY *(couché sur son lit, l'air étonné)*
Tu te souviens pas de moi du tout ?

NATHALIE
Non.

RÉMY
À une certaine époque, j'étais très proche de ta mère.

NATHALIE
Vous voulez dire que vous couchiez avec elle ?

RÉMY
Euh… pas seulement ça…

NATHALIE *(elle dépose sur la table un cendrier, un paquet de cigarettes)*
Je me souviens de Mario. Il nous faisait faire des tours sur sa moto.

RÉMY
Je l'ai connu, Mario.

NATHALIE

Vous étiez marié, vous ?

RÉMY

Oui.

NATHALIE *(allumant une cigarette)*

Ceux qui étaient mariés, ils restaient jamais jusqu'au matin. Ma
sœur et moi, on les voyait la nuit des fois quand on se réveillait.

> *Nathalie s'assoit sur le bord du lit. Elle ouvre son sac et en sort du*
> *papier d'aluminium et un sachet d'héroïne.*

RÉMY

J'imagine que vues par un enfant toutes ces histoires-là avaient
l'air un peu sordides. *(Nathalie hausse les épaules.)* Nous on appe-
lait ça la libération sexuelle. *(Indiquant l'héroïne.)* C'est quoi ?

NATHALIE

De l'héroïne.

RÉMY

Ça vient de l'opium, ça ?

NATHALIE

C'est de la morphine mélangée avec des produits chimiques.

RÉMY

C'est un truc moderne ?

NATHALIE

Oui. Inventé chez Bayer en Allemagne en même temps que l'aspirine. Au début, les chimistes faisaient des tests sur les ouvriers de l'usine. S'il y en avait un qui avait mal aux dents, ils lui donnaient des fois de l'aspirine, des fois de l'héroïne. Les ouvriers aimaient beaucoup mieux l'héroïne. Ils disaient qu'ils se sentaient comme des héros. Le nom est venu de là. Après, la compagnie a commencé à fabriquer des pastilles contre la toux à l'héroïne. La pastille du bonheur.

RÉMY

Un produit populaire, j'imagine.

NATHALIE

You bet !

RÉMY

Finalement, ç'a été interdit quand ?

NATHALIE

Quand les gens ont commencé à passer leurs journées entières à la maison. Ils se berçaient doucement avec un grand sourire, en suçant des pastilles.

RÉMY

Tu vas me faire une piqûre ?

NATHALIE

On va aspirer la fumée.

RÉMY

Évidemment. C'est une sensation bien étrange d'avoir un fils qui…

NATHALIE

Chut ! Taisez-vous maintenant. Essayez de vous concentrer. La première fois, c'est la meilleure. C'est celle-là qu'on veut toujours retrouver.

> *L'héroïne se réchauffe et commence à fumer.*

NATHALIE

Ça s'appelle « Riding the Dragon ». « Chevaucher le dragon ».

> *Rémy aspire profondément la fumée. Nathalie en aspire à son tour. Après la seconde bouffée, on voit les pupilles des yeux de Rémy qui se contractent. Il renverse la tête sur l'oreiller.*

Intérieur jour – Hôpital – Nouvelle chambre de Rémy

> *Rémy, seul dans sa chambre, aspire une bouffée d'héroïne. Il entend des pas s'approcher. Il éteint en vitesse la chandelle et enfouit le papier alu dans le tiroir de sa table de chevet. Il tente de dissiper la fumée. Un médecin entre, suivi de deux résidentes.*

LE MÉDECIN *(croquant dans une pomme)*

Bonjour !

RÉMY

Bonjour.

LE MÉDECIN *(s'approchant du lit)*

Il y a une odeur de fumée ici. Vous avez pas repris la cigarette quand même ? !

RÉMY *(l'air goguenard)*

Eh non, jamais ! Non, c'est un cierge que j'allume pour faire de la méditation.

Le médecin commence à ausculter Rémy.

LE MÉDECIN

Toujours des douleurs ici ?

RÉMY *(détaché et souriant)*

Ah oui.

LE MÉDECIN

Et là ?

RÉMY

Là aussi.

LE MÉDECIN

Rien d'insupportable ?

RÉMY

Oh, mon Dieu, non ! *(Il rit.)*

LE MÉDECIN

Vous avez l'air en forme, vous, vous êtes relax.

RÉMY

Oh, extrêmement relax.

LE MÉDECIN

Pas de problèmes de sommeil ?

RÉMY

Je dors comme un enfant !

LE MÉDECIN *(en lui palpant le ventre)*

Je pensais vous prescrire des analgésiques, mais j'ai l'impression que ça sera pas nécessaire.

RÉMY

Oubliez ça ! *(Il jette un œil sur les deux résidentes.)*

LE MÉDECIN *(aux résidentes)*

Ça c'est formidable ! Je dis toujours que le plus longtemps un malade peut garder sa lucidité, le mieux c'est. *(Les résidentes le regardent, l'air sérieux.)*

RÉMY *(donnant une tape sur le bras du médecin)*

Je suis d'accord avec vous.

LE MÉDECIN *(rabaissant la chemise de Rémy)*

Bon, eh bien, tout ça m'a l'air excellent, monsieur Parenteau.

RÉMY

Je vous remercie, docteur Dubé.

LE MÉDECIN

Moi, c'est pas le docteur Dubé.

RÉMY

Ça tombe bien, parce que moi, je suis pas monsieur Parenteau.

Le médecin se dirige vers les résidentes.

LE MÉDECIN *(à voix basse)*

C'est qui, ce gars-là ?

Les résidentes haussent les épaules en signe d'ignorance. Ils sortent.

Intérieur jour – Hôpital – Nouvelle chambre de Rémy

Dans la chambre de Rémy, Diane, Dominique, Claude, Alessandro, Pierre et Rémy mangent des spaghettis et boivent du vin rouge. Assis parmi ses amis, Rémy a l'air en pleine forme.

PIERRE *(à Rémy)*

En fait, si je comprends bien, tout a commencé avec Maria Goretti.

RÉMY

Exactement : celle qui a dit non.

DIANE *(enroulant ses spaghettis dans une cuiller)*

C'était laquelle, ça, Maria Goretti ?

RÉMY

Une paysanne portugaise…

ALESSANDRO

Portugaise ! Santa Maria Goretti ! ?

RÉMY

Elle était italienne ! ?

ALESSANDRO

De Nettuno !

RÉMY

C'est bizarre, dans mon souvenir elle était portugaise.

DOMINIQUE

Le Portugal, c'est Fatima. Les apparitions ! La Vierge ! Les ber-
gères !

CLAUDE

Le secret de Fatima !

DOMINIQUE

Que seul le pape pouvait entendre !

CLAUDE *(faisant mine de donner l'absolution)*
Pauvre Canada 1960 !

DOMINIQUE

Écoute, on croyait à ça !

RÉMY *(visiblement content d'évoquer cette histoire)*
Toujours est-il qu'on a fait un film sur la vie édifiante de Maria
Goretti.

ALESSANDRO

Cielo Sulla Palude.

RÉMY

Exactement! En français : *La Fille des marais.*

ALESSANDRO

Et la vedette était ?

RÉMY

Je cherche son nom depuis quarante ans !

ALESSANDRO

Inès Orsini.

RÉMY

Mais oui! Mon Dieu! Inès Orsini. L'immortelle Inès Orsini. Comment ai-je pu oublier !

ALESSANDRO

J'ai vu ce film au pensionnat chez les jésuites.

PIERRE

Moi aussi, à Brébeuf.

RÉMY *(visiblement ravi d'évoquer ces souvenirs)*

Moi, au Séminaire de Chicoutimi. Du début à la fin du film, l'immortelle Inès Orsini est habillée du cou jusqu'aux poignets jusqu'aux chevilles. Sauf qu'il a bien fallu suggérer un tant soit peu la nature abjecte du désir bestial de l'infâme violeur. *(On voit la scène du film en question pendant que Rémy la décrit.)* L'exquise Maria s'approche de la mer. Elle y trempe ses pieds adorables. Et là, d'un geste souverain mais pudique, elle relève ses jupes. *(Il joint les mains de ravissement.)* Les cuisses d'Inès Orsini !

ALESSANDRO

Même moi, je m'en souviens.

CLAUDE

Bene !

RÉMY

Vous dire les rivières de sperme que j'ai répandues en rêvant à ces cuisses !

PIERRE

Je crois que c'est d'ailleurs une des causes de la modification du bassin hydrologique du Bas-Saint-Laurent.

> *Rires.*

RÉMY

Pendant des années, je me suis endormi bandé en pensant à Inès Orsini. Jusqu'au jour où j'ai vu Françoise Hardy à la télévision *(on voit Françoise Hardy se promenant dans une rue de Paris)* chanter *Tous les garçons et les filles de mon âge,* et qu'instantanément je trouve Inès Orsini grosse et sainte nitouche.

DIANE

Maria Goretti ! *(Elle pose son foulard bleu sur sa tête.)* Seule et abandonnée : un destin de femme !

On voit Maria Goretti petite fille.

RÉMY

J'ai couché longtemps avec Françoise Hardy et nous avons été très heureux ensemble. Malheureusement pour elle, un jour *(on voit Julie Christie, dans* Darling*)* j'ai vu un film avec Julie Christie, et là, ç'a été l'amour fou qui a duré six mois, jusqu'à ce que je parte avec Chris Evert *(on voit Chris Evert en plein match),* la joueuse de tennis, que j'ai quittée ensuite pour la sublissime Karen Kain qui dansait *Carmen* à Marseille. *(Il boit une gorgée de vin.)* Toute ma vie durant, je me suis endormi avec les plus belles filles de la terre, jusqu'au jour fatal où je me suis réveillé un matin en réalisant que je m'étais endormi la veille en pensant à la mer des Caraïbes. *(L'air nostalgique.)* J'étais devenu vieux : les femmes avaient déserté mes rêves.

Dominique et Diane lui jettent un regard attendri.

DOMINIQUE

Si tu savais comme ça fait longtemps que j'ai pas rêvé à un homme !

Intérieur/extérieur jour – Ambulance – Autoroute

*L'ambulance roule sur l'autoroute. Rémy, qui semble plus paisible,
regarde le paysage défiler tandis que Sébastien est au téléphone.*

SÉBASTIEN

… O.K., talk to you in the next few days. Bye now.

Il referme son téléphone.

RÉMY *(l'air plus doux que d'habitude)*

Vas-tu me l'expliquer un jour, ce que tu fais au juste dans la
vie ?

SÉBASTIEN *(jouant le jeu)*

Tu diriges une compagnie pétrolière norvégienne… Tu viens
d'acheter d'une compagnie américaine en difficulté, un champ
d'exploitation dans la mer du Nord. *(Rémy l'écoute avec attention.)* Dans ton nouveau champ, tu produis pour sept dollars un
baril de pétrole que tu vends à vingt-cinq. Tu voudrais stabiliser
cette marge-là, indépendamment des fluctuations du prix
mondial du pétrole. Tu fais quoi ?

RÉMY *(perplexe)*

J'en ai aucune idée.

SÉBASTIEN

Tu viens me voir, et on va faire un swap.

RÉMY

Ce qui veut dire ?

SÉBASTIEN

Ce qui veut dire une opération financière où ma banque va te payer le prix fixe et toi tu vas nous payer le prix flottant. C'est comme si tu t'engageais à vendre ta production à un prix fixe pour un certain nombre d'années. Par contre, si tu voulais garder davantage de flexibilité, je pourrais te proposer des options, ce qu'on appelle des calls et des puts. En gros, je vais essayer de t'aider à gérer tes risques financiers.

RÉMY

Mais que le marché monte ou baisse, toi tu perds jamais d'argent.

SÉBASTIEN

C'est ça l'idée générale.

RÉMY

Es-tu très bon dans ce que tu fais ?

>   *Sébastien réfléchit un instant, puis affirme avec un petit sourire.*

SÉBASTIEN

Assez bon.

>   *Un silence. Rémy rit volontiers, et Sébastien aussi.*

RÉMY

Penses-tu que tu pourrais convaincre le chauffeur d'arrêter au lac ?

SÉBASTIEN *(réfléchit quelques secondes)*
Ça doit.

RÉMY *(appuie sa tête sur la banquette, regarde par la vitre)*
J'aimerais revoir le lac.

Extérieur jour – Lac Memphrémagog

> *L'ambulance s'engage sur le chemin ombragé qui mène vers le lac Memphrémagog et s'arrête à côté de la maison de Pierre. Sébastien pousse Rémy sur la longue galerie qui entoure la maison de Pierre.*

RÉMY

Quand je faisais mon doctorat à Berkeley, dans ma classe, il y avait Locken et Donaldson, deux futurs prix Pulitzer. À cet âge-là, ils étaient pas plus forts que moi, sauf qu'ils étaient américains. Moi je suis revenu ici, j'ai commencé à enseigner, je me suis marié, et… puis rien.

SÉBASTIEN

T'étais trop occupé par tes histoires de femmes.

RÉMY

Même là c'était sans envergure, tu l'as dit toi-même. Tout ce que j'ai connu, c'est des histoires lamentables dans des appartements mal chauffés du Plateau Mont-Royal. *(Un temps.)* L'université m'a remplacé par une chargée de cours à deux jours d'avis. Le doyen a oublié de me dire au revoir. La moindre secrétaire qui va accoucher a droit à un gâteau et un verre de vin !

Intérieur jour – Université – Salle de cours

> *Rémy entre dans sa salle de cours à l'université accompagné de la jolie Raphaëlle Metellus. Les étudiants interrompent peu à peu leurs conversations.*

RÉMY

Mesdames, messieurs, mesdemoiselles, pour des raisons de santé, il me sera impossible de terminer la session. C'est madame Raphaëlle Metellus qui va me remplacer.

> *Vincent, un étudiant, lève la main.*

RÉMY

Oui ?

VINCENT

Est-ce que ça change les dates de remise des travaux, ça ?

RÉMY

Non, pas du tout. Les remises de travaux, les examens restent les mêmes. Autre question ?

Les élèves, indifférents, bâillent. Vincent chuchote avec sa voisine,
Gabrielle, qui joue avec son ordinateur. Rémy se retourne vers
Raphaëlle et lui tend doucement la main.

RÉMY

Bonne chance.

RAPHAËLLE

Merci. *(Elle se dirige vers le tableau et entreprend immédiatement son*
cours.) Alors, comme vous avez commencé à le voir la semaine
dernière, l'élection de 1840 allait être particulièrement mouve-
mentée. Le parti whig *(elle écrit « Whig » au tableau)* qui venait de
se constituer était composé en fait de quatre segments distincts
mais convergents de l'électorat.

Rémy se dirige lentement vers la porte dans l'indifférence générale.
Il regarde sa classe une dernière fois. Raphaëlle est au tableau où
elle inscrit les catégories d'électeurs.

RAPHAËLLE

Il y avait d'abord les national-republicans de la mouvance
Adams-Clay, qui formaient le groupe fondateur. Mais ils ont été
rejoints très rapidement par les conservateurs, qui étaient bien
sûr hostiles aux attaques de Jackson contre les monopoles. Troi-
sièmement, il y avait aussi un pourcentage très important de
xénophobes, tous ceux qui étaient radicalement opposés à l'im-
migration et qui étaient convaincus que tous les nouveaux arri-
vants allaient automatiquement appuyer les démocrates. Et
finalement, il y avait aussi tous les partisans des droits des États,

qui avaient quitté le Parti démocrate à la suite de la controverse sur la nullification…

> *Rémy sort discrètement et referme la porte derrière lui. Il reste un instant à la porte et puis il s'éloigne.*

Extérieur jour – Lac Memphrémagog

> *Assis dans sa chaise roulante sur le quai, Rémy regarde le lac en silence. Sébastien l'observe d'un peu plus loin. Rémy se retourne vers Sébastien, lui sourit. Celui-ci le regarde longuement, puis détourne les yeux. Rémy continue de contempler le lac.*

Intérieur nuit – Hôpital – Nouvelle chambre de Rémy

> *Nathalie et Rémy fument de l'héroïne.*

Intérieur jour – Hôpital – Corridor

> *Dans le corridor encombré, la première amoureuse a réussi à coincer Carole près de son poste de garde.*

LA PREMIÈRE AMOUREUSE *(visiblement énervée)*

Comment ça en bas !? Où en bas !?

CAROLE

À l'étage d'en bas ! Vous prenez l'escalier, vous descendez ! C'est pas compliqué, ça ! *(Elle indique l'escalier du doigt.)* Il est tout seul sur l'étage, vous risquez pas de le rater !

LA PREMIÈRE AMOUREUSE

Mais qu'est-ce qu'il fait là, tout seul !?

CAROLE *(s'activant à chercher des documents)*

Je le sais pas ! Ça a l'air que c'est un cas particulier ! C'est certainement pas à moi qu'on va donner des explications ! On est obligé de descendre et de remonter un escalier à chaque fois qu'il faut s'en occuper ! Penses-tu que j'aime ça monter des escaliers ?! Puis c'est toujours plein de monde qui fume dans sa chambre ! Puis il y a des femmes ! C'est le bordel !

> *Ayant trouvé son document, elle s'éloigne, énervée.*

Intérieur jour – Hôpital – Nouvelle chambre de Rémy

> *La première amoureuse arrive sur l'étage de Rémy. Elle cherche la chambre. La porte est fermée. Comme elle vient pour entrer, la porte s'ouvre et Nathalie sort.*

NATHALIE

Excusez-moi. *(D'un air rêveur.)* Bonne nuit, bonjour...

> *L'amoureuse, enragée, entre dans la chambre. Rémy essaie de dissiper la fumée de l'héroïne. Il se couche sur le côté, comme pour se cacher.*

LA PREMIÈRE AMOUREUSE

Elle a quel âge, celle-là ?

Rémy est encore sous l'influence de la drogue. Il fonctionne lui aussi au ralenti.

RÉMY

Quoi?

LA PREMIÈRE AMOUREUSE *(s'approchant du lit)*

Elle a quel âge, la fille, là, qui vient de sortir?

RÉMY

Je sais pas.

LA PREMIÈRE AMOUREUSE

Elle est plus jeune que ta fille!

RÉMY

C'est possible.

LA PREMIÈRE AMOUREUSE

Elle vient passer la nuit avec toi?! J'imagine que tu la payes! *(Elle crie.)* Tu pourrais au moins en prendre une de ton âge!

RÉMY *(se retournant dans son lit)*

Rendu où je suis, j'ai pas tellement le choix. Faut que je me contente de celles qui veulent.

LA PREMIÈRE AMOUREUSE *(se rend de l'autre côté du lit)*

Sais-tu les blessures que ça peut causer, une relation comme celle-là ?! Évidemment, toi tu t'en fiches !…

À ce moment, sœur Constance entre distraitement dans la chambre.

LA PREMIÈRE AMOUREUSE

C'est le dernier de tes soucis ! Du moment que tu éjacules…

SŒUR CONSTANCE *(elle tressaute)*

Oh, mon Dieu ! Je vous demande pardon…

Elle veut se retirer.

RÉMY

Non ! Ma sœur ! S'il vous plaît, restez !

SŒUR CONSTANCE

Non, je reviendrai…

RÉMY *(tendant les bras vers elle)*

Non, non, non ! Restez ! Je vous en supplie ! Je sens que c'est un de ces matins où je vais avoir désespérément besoin des consolations de la foi !

Sœur Constance vient vers lui et lui prend les mains.

LA PREMIÈRE AMOUREUSE

Gros porc ! Gros fumier !

Elle sort. Rémy sourit, la tête sur l'oreiller, alors que sœur Constance lui tient toujours les mains.

SŒUR CONSTANCE

Il y a une odeur de fumée ici.

RÉMY *(indiquant la bougie allumée sur la table de chevet)*

C'est un cierge que j'allume pendant mes oraisons.

Elle lui donne une tape sur les mains.

SŒUR CONSTANCE

Vous savez ce qui va vous arriver, vous, en enfer ?

RÉMY

Quoi ?

SŒUR CONSTANCE

On va vous enfermer dans une pièce avec toutes les femmes que vous avez séduites et vous allez être forcé de les écouter pendant l'éternité.

RÉMY

Au secours !

SŒUR CONSTANCE

C'est long, l'éternité. *(Elle fait un mouvement de balancier avec son doigt.)* Gros porc, gros fumier, gros fumier, gros porc…

> *Rémy se bouche les oreilles à la blague.*

RÉMY

Pitié ! Je vous en supplie !

Extérieur jour – Appartement d'Olivier

> *Nathalie attend à la porte d'Olivier, le dealer. Celui-ci ouvre et s'apprête à sortir.*

OLIVIER

Salut.

NATHALIE

Salut.

OLIVIER

Irina est là. Il faut que je sorte.

NATHALIE

O.K.

Nathalie entre dans l'appartement, Olivier descend l'escalier extérieur. Il voit Sébastien qui attend dans la voiture. Olivier s'approche et s'accroupit près de la portière.

OLIVIER

C'est pour toi que Nathalie achète ?

SÉBASTIEN

C'est une amie.

OLIVIER

Si tu viens régulièrement, ça serait peut-être mieux qu'on fasse affaire directement ensemble. *(Il lui fait un petit sourire mielleux.)*

SÉBASTIEN

Je crois pas que ça vaille la peine.

OLIVIER

Sur un approvisionnement régulier, je peux faire des prix intéressants.

SÉBASTIEN

Moi, c'est une situation temporaire.

OLIVIER

Tout est toujours temporaire dans la vie. On ne se baigne jamais deux fois dans l'eau de la même rivière comme disait *(il fait une moue coquine)*… chose, là… Tu sais, chose ?

SÉBASTIEN

Ouais, chose.

OLIVIER

Tu pourras pas te fier indéfiniment à Nathalie. Elle va finir par te jouer des tours.

SÉBASTIEN

On verra.

OLIVIER

Tu connais mon adresse.

SÉBASTIEN

Oui.

OLIVIER

Hasta la vista.

SÉBASTIEN

Baby.

Il remonte la vitre automatique. Olivier s'éloigne.

Intérieur jour – Hôpital – Nouvelle chambre de Rémy

Dans la chambre de Rémy, Louise se prépare un espresso.

LOUISE

Dis donc, Pierre, je veux pas être indiscrète, mais as-tu des nouvelles d'Arielle des fois ?

PIERRE

Oui, on se voit encore de temps en temps.

Tout à côté, Ghislaine est en train de changer la couche d'un de ses enfants.

GHISLAINE

De temps en temps ! ?

Flash-back – Intérieur jour – Restaurant

Pierre et Arielle sont dans un restaurant à la mode.

ARIELLE *(souriant)*

Qu'est-ce qui est arrivé avec tes cheveux ?

PIERRE

Mes cheveux ?

ARIELLE

On dirait qu'ils sont moins gris.

PIERRE

Tu trouves ?

ARIELLE

T'as pas commencé à te teindre les cheveux !

PIERRE

La coiffeuse de ma femme m'a recommandé un shampoing.

ARIELLE *(sidérée)*

La coiffeuse de ta femme !

PIERRE

C'est un produit revitalisant…

ARIELLE *(en riant)*

Tu me décourages !

PIERRE

C'est pas du tout une teinture, c'est simplement une…

ARIELLE

Tu fais vraiment tout ce qu'elle veut, hein ! ?

PIERRE

Non, non, pas du tout…

Intérieur jour – Hôpital – Nouvelle chambre de Rémy

Retour au présent.

GHISLAINE *(à Louise)*

Il mange avec elle toutes les deux semaines !

PIERRE

Quand même, pas toutes les deux…

GHISLAINE

Et puis jeudi dernier ? ! T'as mangé avec elle au Petit Extra, jeudi dernier ? ! Vrai ou faux ?

PIERRE

D'accord, ma chérie, mais…

GHISLAINE

Et ça faisait combien de temps que tu l'avais vue ?

PIERRE

Je sais pas.

GHISLAINE

Deux semaines ! Vous aviez mangé au Paris-Beurre il y a exactement deux semaines !

PIERRE

C'est juste des lunches le midi quand même…

GHISLAINE

Il ne manquerait plus que ça que tu la voies le soir ! Ça, je t'avertis, il en est pas question et il en sera jamais question !

RÉMY *(allongé sur son lit, en train de lire)*

Je suis entièrement d'accord avec toi, Ghislaine.

LOUISE

Rémy, s'il vous plaît, tais-toi !

RÉMY

Ben quoi ? Cette enfant a raison. Personnellement, je n'ai jamais mangé le soir dans un restaurant avec une femme sans avoir l'intention ferme et bien arrêtée de la sauter comme une crêpe Suzette, ou dans le cas des Orientales, comme une crêpe mushi.

PIERRE

Ce que j'aime de toi, Rémy, c'est que tu es un ami fidèle.

GHISLAINE

C'est précieux, un ami honnête comme ça.

PIERRE

Eh oui, très précieux. Extraordinairement précieux.

> *Comme Ghislaine a le dos tourné, Pierre fait mine de tirer une balle de revolver en direction de Rémy qui mime sa mort.*

Intérieur nuit – Hôpital – Corridor de l'étage de Rémy

> *La porte de l'ascenseur s'ouvre. Nathalie apparaît dans le corridor, y découvre Diane, sa mère, qui l'attend.*

NATHALIE

Qu'est-ce que tu fais là ?

DIANE

Je voulais te voir. *(Un silence.)* Je pense à toi tous les jours, ma chouette.

NATHALIE

Je le sais, tu me l'as déjà dit.

> *Elle veut continuer son chemin, sa mère l'arrête.*

DIANE

Je me réveille la nuit, je te vois, étendue, en sang dans une ruelle, dans des piqueries. J'ai tellement peur pour toi tout le temps. Ça a pas de sens.

> *Nathalie serre la main de sa mère, puis s'éloigne.*

NATHALIE

T'as trop d'imagination.

DIANE *(rattrape sa fille, la prend par le bras)*

Mais tu le sais que tu pourras pas continuer comme ça indéfiniment.

NATHALIE *(s'arrêtant)*

C'est sûr que je le sais. Je le sais beaucoup mieux que toi. Tu peux rien faire pour moi.

> *Elle s'éloigne de nouveau.*

DIANE *(rattrape sa fille, l'air désolée)*

Je sais que c'est de ma faute. C'est ça qui me tue.

NATHALIE

J'ai pas besoin de ça. Ça me donne rien que ce soit de ta faute ou pas.

> *Elle tourne les talons et s'éloigne. Diane la regarde partir, l'air triste, et met ses verres fumés.*

Intérieur nuit – Hôpital – Toilettes

> *Nathalie entre dans les toilettes de l'étage et se fait une piqûre d'héroïne.*

Intérieur nuit – Hôpital – Nouvelle chambre de Rémy

RÉMY *(dans sa chaise roulante)*

Toi, tu tiens pas beaucoup à la vie ?

NATHALIE *(allongée sur le lit de Rémy, elle parle d'une voix faible)*

Pas beaucoup, non.

RÉMY

J'étais comme ça à ton âge. J'étais prêt à mourir n'importe quand. Je m'en fichais. C'est pour ça que les jeunes font toujours les meilleurs martyrs. *(Il vient se placer au pied du lit.)* C'est paradoxal, mais c'est en vieillissant qu'on s'attache à la vie. Quand on commence à soustraire : il me reste vingt ans, quinze ans, dix ans. On sait qu'on fait les choses pour la dernière fois : je m'achète ma dernière voiture, c'est la dernière fois que je vois Gênes ou Barcelone…

NATHALIE *(l'air très faible, elle pose la tête sur le lit)*

Je me rendrai pas là.

RÉMY

Qu'est-ce que t'en sais ?

NATHALIE

Les overdoses, c'est assez fréquent, vous savez.

RÉMY

Même ça tu peux pas prévoir. Un jour tu vas peut-être arrêter et finir par vivre très vieille. On arrive même pas à comprendre le passé, comment veux-tu qu'on prédise l'avenir ? *(Il se remet à circuler dans sa chaise, parle fort.)* Personne sait jamais ce qui va lui arriver. Sauf moi, maintenant. Je le sais.

NATHALIE

Ça vous fait peur.

RÉMY

Oh oui ! Et puis, c'est la vie que je veux pas quitter. J'ai tellement aimé la vie, tu peux pas savoir.

NATHALIE

Qu'est-ce que vous aimiez tant ?

RÉMY *(ouvrant les bras, il parle d'un ton passionné)*

Tout ! Les livres, le vin, la musique, les femmes, surtout les femmes. *(Il se place au bord du lit, tout près de Nathalie.)* Leur odeur, leur bouche, la douceur de leur peau.

NATHALIE

Vous en avez connu beaucoup ?

RÉMY

Oui.

NATHALIE

À la longue, elles finissent pas par un peu toutes se ressembler ?

RÉMY

Un peu… mais je m'en suis jamais lassé.

NATHALIE

Et vous avez toujours autant de succès ?

RÉMY

Non. *(Il s'éloigne dans sa chaise.)* C'est sûr qu'avec l'âge, c'est plus la même chose…

NATHALIE *(se retourne sur le dos)*

Et le vin, est-ce que vous pouvez toujours en boire autant ?

RÉMY

Malheureusement non, là, mon foie me le permet plus…

NATHALIE

Les voyages que vous vouliez faire, vous les avez faits ?

RÉMY

De toute façon, maintenant, il y a des touristes partout…

NATHALIE *(la tête appuyée sur un coude)*

En fait, c'est pas votre vie actuelle que vous voulez pas quitter, c'est votre vie d'autrefois.

RÉMY

Peut-être.

NATHALIE

Elle est déjà morte, cette vie-là.

> *Rémy reçoit cette révélation comme un choc.*

Intérieur jour – Hôtel – Chambre de Sébastien

> *On voit émerger le visage de Gaëlle de sous un drap. Sébastien est couché derrière elle. On sent qu'ils commencent à faire l'amour. Les premières lueurs de l'aube colorent la chambre en bleu. Le téléphone sonne. Elle décroche.*

GAËLLE

Allô ?

Intérieur jour – Londres – Bureau de Malcolm White

> *Malcolm White, impeccablement habillé, monte un escalier d'apparat.*

MALCOLM

Gaëlle ?

GAËLLE

Speaking.

MALCOLM

This is Malcolm White.

Gaëlle n'arrête pas de faire l'amour.

GAËLLE

Hello, Mister White.

MALCOLM

Listen Gaëlle, our New York office has had a strange request. It seems that the Montreal Archdiocese, you know the Catholic authorities, well, it seems that they are sitting on a huge array of religious art. From what I understood, they were talking about warehouses full of stuff...

GAËLLE

Mister White, it's five thirty in the morning here...

MALCOLM

Oh dear *(il consulte sa montre),* you're right. I'm so terribly sorry...

GAËLLE

I'll call you back, OK?

MALCOLM

Or course, dear, of course.

Gaëlle raccroche et continue de faire l'amour avec un sourire de profonde satisfaction.

Intérieur jour – Entrepôt d'antiquités

Le père Raymond Leclerc, un prêtre de l'archevêché, précède Gaëlle dans l'entrée d'un entrepôt.

LE PÈRE LECLERC *(s'arrêtant face à Gaëlle)*

Je m'attendais à ce qu'on nous envoie un vieil antiquaire, pas du tout une séduisante jeune fille.

Il recommence à marcher, elle le suit.

GAËLLE

Je ne suis pas une spécialiste, je vous préviens.

Le père Leclerc et Gaëlle entrent dans un grand entrepôt où sont entassés des centaines de statues, des chemins de croix, des portraits de saints, des accessoires du culte, comme si on avait vidé deux cents églises et qu'on avait tout empilé là pêle-mêle. Dans cette séquence, on verra plusieurs gros plans montrant des détails des statues et autres icônes. Gaëlle se met immédiatement au travail et commence à inspecter minutieusement tout ce bric-à-brac. On comprend à ses gestes qu'elle est extrêmement compétente.

LE PÈRE LECLERC

Vous savez, ici, autrefois, tout le monde était catholique, comme en Espagne ou en Irlande. *(Gaëlle le rejoint et ils déambulent ensemble dans l'entrepôt.)* Et à un moment très précis, en fait pendant l'année 1966, les églises se sont brusquement vidées, en quelques mois. Un phénomène très étrange, que personne n'a jamais pu expliquer. Alors maintenant, on sait plus quoi faire avec ça. *(Indiquant tout ce qui l'entoure.)* Les autorités voudraient savoir si quelque chose a une valeur quelconque.

GAËLLE *(se penchant pour examiner une sculpture)*

Une valeur marchande ?

LE PÈRE LECLERC

Oui.

Ils passent dans une autre partie de l'entrepôt.

GAËLLE *(examinant un ostensoir)*

Est-ce que vous avez conservé des ostensoirs ou des calices français du XVIIIᵉ?

LE PÈRE LECLERC

Non. Ça, les Américains ont tout acheté. Il reste quelques exemplaires dans des musées.

Gros plan sur un christ en plâtre avec une larme au coin de l'œil.

GAËLLE *(d'un ton doux, comme pour le ménager)*

Écoutez, tout ça a certainement une grande valeur pour les gens d'ici, sur le plan de la mémoire collective…

LE PÈRE LECLERC

Mais est-ce qu'il y a des choses qu'on pourrait vendre ?

GAËLLE *(s'arrêtant parmi des statues enveloppées de plastique transparent)*

Sur le marché international ?

LE PÈRE LECLERC *(haussant les épaules en signe d'évidence)*

Oui.

GAËLLE

Comme je vous l'ai déjà dit, je ne suis pas une spécialiste.

LE PÈRE LECLERC

Je comprends, mais quand même ?

GAËLLE

Honnêtement, je vois pas très bien.

Autrement dit, tout ça *(images de saints en plâtre)* ne vaut absolument rien. *(Gaëlle hausse gentiment les épaules.)* Venez, je vais vous raccompagner.

Elle le suit parmi les statues. Gros plan sur un visage de saint.

Intérieur jour – Hôpital – Nouvelle chambre de Rémy

Rémy, même affaibli, se redresse dans son lit.

RÉMY *(à sœur Constance. Il parle fort et s'agite, manifestement révolté)*

Que votre Pie XII soit resté assis sur son cul dans son Vatican doré pendant qu'on emmenait Primo Levi à Auschwitz, c'est pas dommage, c'est pas regrettable, c'est abject ! C'est immonde !

Il se recouche sur son lit, épuisé par l'effort et la rage.

SŒUR CONSTANCE *(l'air mortifié)*

Si ce que vous dites est vrai et que tout a été une suite de crimes abominables, alors à plus forte raison, il faut que quelqu'un existe qui puisse nous pardonner. C'est ce que je crois. *(Elle réprime un sanglot.)*

RÉMY *(calmé, regardant au plafond)*

Vous avez de la chance.

Intérieur nuit – Hôpital – Nouvelle chambre de Rémy

Dans la chambre, assise à la table, Nathalie prépare l'héroïne.

RÉMY *(assis dans sa chaise roulante, il tripote le bracelet qui le lie à l'appareil à soluté)*

Si au moins j'avais réussi à écrire.

NATHALIE

Vous avez jamais rien écrit ?

RÉMY

Quelques articles ici et là. Rien de sérieux.

NATHALIE

Qu'est-ce que vous faites là, Rémy ?

RÉMY *(il essaie de défaire son bracelet)*

Hein ?

NATHALIE

Qu'est-ce que vous faites là ?

RÉMY *(arrachant le bracelet)*

Ah, ça me fait chier, ça !

NATHALIE

Vous auriez voulu écrire quoi ?

Rémy s'avance jusqu'à la poubelle.

RÉMY

L'archipel du Goulag. Le système périodique… Voyons ! *(Il s'impatiente car le bracelet lui colle au poignet, puis il réussit à le jeter dans la poubelle.)*

NATHALIE *(réprimant un petit sourire)*

Vous pensez que vous auriez pu vous situer à ce niveau-là ?

RÉMY

Jamais. *(Il circule à travers la chambre, toujours assis dans sa chaise.)*

NATHALIE

Alors ?

RÉMY

Au moins, j'aurais essayé. J'aurais laissé une trace. C'est important dans une vie de réussir quelque chose, même juste à sa mesure à soi. Pouvoir dire qu'on a fait son possible, qu'on a fait de son mieux. *(Assise à la table, Nathalie s'affaire toujours à préparer la drogue.)* Je suis sûr que ça rend la mort plus paisible. *(Il s'immobilise près d'elle.)* Ouais, moi, j'ai tout raté.

NATHALIE

Peut-être, mais au moins vous en êtes conscient. Il y a tellement de professeurs satisfaits, et ils sont tellement insupportables. Et puis, je connais pas votre fille, mais Sébastien est pas exactement raté.

> *Elle allume une cigarette, l'air troublé.*

RÉMY

J'y suis pour rien.

NATHALIE *(aspirant une bouffée de cigarette)*

Vous pouvez pas dire ça, vous le savez pas.

> *Rémy semble frappé par cette idée. Elle commence à faire chauffer l'héroïne.*

Intérieur jour – Hôpital – Nouvelle chambre de Rémy

> *Trois anciens étudiants de Rémy : Vincent, Gabrielle et un autre étudiant, se tiennent debout près de son lit. À l'autre extrémité de la chambre, Louise, Pierre, Ghislaine et ses enfants sont témoins de la scène.*

VINCENT *(à Rémy, qui est couché sur son lit)*

On voulait prendre de vos nouvelles.

GABRIELLE

Tout le monde se demande comment vous allez.

RÉMY *(à la fois touché et surpris)*

Pas tout le monde quand même.

VINCENT

Vous seriez surpris.

RÉMY *(l'air dubitatif)*

Quand je vous ai annoncé mon départ, on peut pas dire que vous avez eu l'air particulièrement touchés.

GABRIELLE

On se rendait pas compte à ce moment-là.

VINCENT

C'est exactement ça. Maintenant que vous êtes parti…

GABRIELLE

Là, on voit la différence.

RÉMY

Ça me touche beaucoup ce que vous dites là, sincèrement.

> *Un silence.*

«Mais on a tout été! C'est invraisemblable! Séparatistes, indépendantistes, souverainistes, souverainistes-associationnistes...»
Rémy Girard

« Dans le crétinisme on ne peut pas descendre plus bas. »
Rémy Girard et Pierre Curzi

Marie-Josée Croze

« Tu sais ce que je souhaite ? »
Stéphane Rousseau et Rémy Girard

« Il n'y a pas si longtemps encore, je vous aurais sauté dessus sans presque vous demander la permission. »
Markita Boies et Rémy Girard

Toni Cecchinato, Marina Hands, Yves Jacques, Pierre Curzi, Louise Portal, Rémy Girard, Dorothée Berry-man, Stéphane Rousseau, Dominique Michel

« L'homme de ma vie. »
Dorothée Berryman et Rémy Girard ; en arrière-plan : Dominique Michel, Toni Cecchinato, Louise Portal

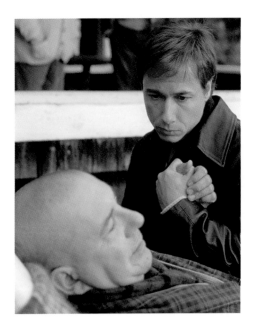

Rémy Girard et Stéphane Rousseau

« Pourquoi vous venez pas à Noël ? »
Yves Jacques, Toni Cecchinato, Dominique Michel, Louise Portal

« Je t'aime. »
Stéphane Rousseau et Marina Hands

Mitsou Gélinas, Louise Portal, Pierre Curzi, Yves Jacques, Denys Arcand, Marina Hands, Toni Cecchinato, Dorothée Berryman, Dominique Michel, Rémy Girard

VINCENT *(un peu mal à l'aise)*

Bon, eh bien, il va falloir y aller, nous.

GABRIELLE

On a une conférence de monsieur Roby à quatre heures…
(Elle rit.)

RÉMY

Allez-y… Allez-y !

> *Ils tendent la main à Rémy.*

VINCENT

Bonne chance.

RÉMY

Merci.

> *Ils se dirigent vers la porte, et Gabrielle s'arrête un moment, l'air ému.*

GABRIELLE

Lâchez pas.

RÉMY

Oh, non !

> *Ils sortent. Pierre s'approche de Rémy en regardant encore la porte que les étudiants viennent de refermer derrière eux.*

PIERRE *(à Rémy)*

Eh ben, dis donc…

RÉMY

Surprenant.

PIERRE

Ils sont touchants pour des analphabètes.

RÉMY

C'est pas de leur faute. Ils auraient pu apprendre aussi bien que nous, mais personne ne leur a enseigné. C'est comme tout le reste…

Intérieur jour – Hôpital – Corridor de l'étage vide

Au fond du corridor de l'étage vide, Sébastien a sorti son porte-feuille et il donne deux billets de vingt dollars à Vincent.

VINCENT

À ce prix-là, on peut revenir, si tu veux. T'as juste à nous faire signe.

SÉBASTIEN

On verra.

Gabrielle refuse l'argent que lui tend Sébastien.

GABRIELLE

Non, moi, je prends pas d'argent.

SÉBASTIEN

On s'était entendus…

GABRIELLE

C'est égal, je veux rien. Laissez faire.

> *Elle s'éloigne dans le corridor. Troublée.*

SÉBASTIEN *(aux deux autres)*

Voulez-vous chacun la moitié de sa part ?

> *Ils se consultent du regard.*

VINCENT

O.K.

Intérieur nuit – Hôpital – Nouvelle chambre de Rémy

> *Rémy est allongé sur son lit. Debout près d'un comptoir aménagé dans la chambre, Gaëlle prépare deux verres de limonade.*

GAËLLE

On va se marier l'été prochain. À Gennes, chez moi, en Anjou. Vous allez voir, il y a une très jolie chapelle.

RÉMY

Louise et moi, on s'est mariés un soir de février dans une église sinistre de Ville Jacques-Cartier. On faisait ça pour pouvoir coucher ensemble sans que nos familles nous emmerdent.

GAËLLE

Moi, je veux une noce au bord de la Loire, comme dans les films.

RÉMY

Six mois plus tard, j'ai commencé à tromper ma femme.

GAËLLE *(se retournant vers Rémy)*

C'est court.

RÉMY

C'est pas long. *(Ils rient tous les deux, elle lui apporte un verre de limonade, s'en sert un elle aussi.)*

GAËLLE

Est-ce que je peux vous poser une question indiscrète ?

RÉMY

Laquelle ?

GAËLLE

Vous aviez connu combien de femmes avant ?

RÉMY

Avant mon mariage ? Pas beaucoup. Une ou deux, je pense.
C'était une société assez puritaine, ici, à l'époque.

GAËLLE

Moi, la première fois, j'avais douze ans. Après l'école, la moni-
trice était dans la cour, je me suis retrouvée seule dans un coin
sieste avec un garçon de mon âge. Il m'a déshabillée et il s'est
allongé sur moi. Il essayait de me pénétrer avec son petit zizi et
il n'y arrivait pas. J'étais toute sèche. Le soir, quand j'ai raconté
ça à ma mère, elle m'a donné un tube de gel lubrifiant. Elle m'a
fait prescrire la pilule six mois au moins avant mes premières
menstruations. L'été de mes quinze ans, mon père m'a prise avec
lui. On est allés en vacances chez un copain à lui, qui s'était bri-
colé un studio de musique en Bretagne. Un jour, après déjeuner, mon père sort faire un tour, son copain me regarde et il me
dit : « Ça fait longtemps que j'attends ça. » Il verrouille la porte
et il commence à me sauter. Au bout d'un moment, mon père
revient, il essaie d'ouvrir, il crie à son copain : « Merde, c'est ma
fille, fais pas le con ! » Le copain répond : « Elle est très bien, ta
fille ! » et il me fait signe de dire quelque chose. Alors moi, je dis :
« Oui, oui, c'est O.K., ça va, c'est cool », et mon père est reparti.
C'est con de vous raconter tout ça, mais c'est pour que vous
compreniez que quand j'ai rencontré Sébastien, je me suis dit :
celui-là, c'est pour toujours, et il n'y en aura plus jamais d'autres.

RÉMY

Eh bien, j'espère pour vous que ça va durer. Mais vous savez,
l'amour…

Ah non ! Non, pas d'amour. *(Elle se dirige vers la fenêtre, regarde dehors, l'air grave.)* Mon père et ma mère, ils ne parlaient que de ça, l'amour. J'aime. J'aime trop. J'aime encore. J'aime plus. On ne construit pas une vie avec une morale de chanteur populaire. *Quand on n'a que l'amour, Ne me quitte pas,* y en a marre ! *(Rémy lui sourit avec tendresse.)* J'avais trois ans quand mes parents ont divorcé. Pendant quelques années, mon père a continué de venir déjeuner à la maison le dimanche. Une demi-heure avant son départ, je disparaissais et on me retrouvait immanquablement couchée par terre calée devant les roues de sa voiture pour qu'il puisse pas repartir. *(Elle le regarde intensément.)* C'est hors de question que mes enfants revivent ça.

Air songeur de Rémy.

Intérieur jour – Hôpital – Nouvelle chambre de Rémy

Dans le salon en face de la chambre de Rémy, les amis discutent.

DOMINIQUE

Mais ce que vous savez pas, mes petits enfants, c'est qu'à une certaine époque les deux hommes politiques les plus célèbres de ce pays sont venus s'ébattre entre mes draps de percale italiens.

ALESSANDRO

Pratesi ?

DOMINIQUE

Frette.

ALESSANDRO

Chic.

PIERRE

Les deux ?!

DIANE

Le séparatiste et le fédéraliste ?

DOMINIQUE

La gauche et la droite.

CLAUDE

En même temps ?!

DOMINIQUE

Non, quand même. Avec un intervalle décent.

DIANE

Tu m'avais jamais raconté ça !

DOMINIQUE

Devoir de réserve.

DIANE

J'exige des détails croustillants !

> *L'air interrogateur, elle fait mine d'évaluer des longueurs de pénis.*

CLAUDE

Langue sale.

DOMINIQUE

Eh bien, justement, il y en a pas. Le souci de la vérité historique…

CLAUDE

… qui nous anime tous ici aujourd'hui…

DOMINIQUE

… m'oblige à vous dire que les deux étaient malheureusement des éjaculateurs tristement précoces.

DIANE

Les deux ? !

DOMINIQUE

Pareils.

LOUISE

Pauvres hommes.

PIERRE

Séparés par l'idéologie, mais unis par…

CLAUDE

… dans l'adversité.

DOMINIQUE

D'où le premier théorème de Dominique : faute d'exciter la femme, on excite la foule.

PIERRE

Auquel j'ajouterais le corollaire de Pierre : si vous n'excitez ni la femme ni la foule, tirez-vous une balle dans la tête.

ALESSANDRO

Pavese !

PIERRE

Eh si, Pavese.

DIANE

Romain Gary.

Ils se lèvent et entrent dans la chambre tout en continuant de parler. Louise et Gaëlle se tiennent debout près du lit de Rémy.

DOMINIQUE *(s'approchant du lit de Rémy, suivie des autres)*

Tout ça pour vous dire que mes plaisirs nocturnes sont maintenant assurés par l'écran géant numérique Toshiba installé au pied de mon lit.

CLAUDE

Plus d'orteils retroussés ?

DOMINIQUE

Terminé. J'ai assez vu de plafonds dans ma vie.

PIERRE

Plus jamais ?

DOMINIQUE

La boutique est fermée. J'ai déposé les armes. J'ai accroché mes patins.

Rémy ferme les yeux, les rouvre.

ALESSANDRO *(à Claude)*

Nous aussi, je te ferai remarquer que c'est plus calme qu'autrefois.

Claude lui jette un regard surpris.

DIANE *(curieuse)*

Tiens, tiens ?

CLAUDE *(sur le ton de l'explication)*

Lui est à Bologne toute la semaine, moi à Rome. Il reste les week-ends, mais bon…

PIERRE

Moi, ma femme s'endort tous les soirs dans le même lit que nos filles.

DOMINIQUE

C'est bien, tu peux relire Tocqueville.

PIERRE

Ce que je viens d'ailleurs de faire : deux mille pages, papier missel.

CLAUDE *(à Gaëlle)*

Pierre est de plus en plus cultivé, malheureusement sa prostate est de plus en plus gonflée.

Rires.

DIANE

Eh bien, moi, je suis désolée, j'aime encore ça. *(Elle rit de contentement.)* À la campagne, j'ai un vieux cow-boy que je fais venir…

Rémy paraît endormi. Diane s'arrête au milieu de sa phrase. Tous se regardent en silence pour contempler Rémy, qui sort brusquement de sa torpeur.

RÉMY

Quel cow-boy ? ! T'as un cow-boy, toi, maintenant ! ?

Claude et Pierre ont l'air soulagé.

DIANE *(toujours souriante)*

Oui ! Un vieux cow-boy que je fais venir une fois par semaine pour me secouer le sapin.

PIERRE *(en se secouant les épaules)*

Te secouer le sapin ?

DIANE *(l'air déçu)*

Mais en fait, on est brouillés. *(Rémy retombe dans sa torpeur.)* Je comprendrai jamais les hommes. Toute ma vie, j'ai eu affaire, vous le savez, à des lâches qui ne songeaient qu'à s'enfuir après avoir assouvi sur moi leurs bas instincts. Alors l'autre jour, pensant lui faire plaisir, je dis à mon vieux cow-boy : « C'est quand

même formidable à nos âges de vivre une histoire de cul. »
(Dominique acquiesce de la tête.) Le voici tout fâché, il me dit qu'il
ne veut pas être un homme-objet, il me parle de son vécu mas-
culin…

DOMINIQUE *(les yeux au ciel)*

Ça, on aime ça !

DIANE

Il évoque l'absence du père, dit qu'il veut exprimer le côté
féminin de son moi profond, c'était insupportable ! La dernière
chose dont j'ai besoin, c'est d'un être sensible à la queue molle !
Moi, je veux me faire sauter fermement. C'est tout. De la sen-
sibilité et de l'intelligence j'en ai pour deux.

> *Rires. Une superbe infirmière entre dans la chambre, chargée d'un*
> *plateau où se trouvent un gant à friction et une bouteille d'alcool.*

LA SUPERBE INFIRMIÈRE

Friction ? Il veut friction ?

> *Pierre se lève tout de suite et va vers elle, bientôt imité par les*
> *autres.*

PIERRE *(à l'infirmière)*

Voudrait-il une friction ? ! Le Musulman désire-t-il se proster-
ner à La Mecque ?

CLAUDE *(en sortant de la pièce)*

La Carmélite réclame-t-elle les saintes espèces ?

> *Louise considère la superbe infirmière en sortant.*

LOUISE

Il me semble que c'est la première fois qu'on vous voit, vous ?

LA SUPERBE INFIRMIÈRE *(en souriant)*

Yes…

> *Rémy ouvre les yeux, les referme. Tous sortent, sauf Pierre.*

PIERRE *(à l'infirmière)*

Mademoiselle, je ne sais pas si vous croyez aux manifestations gratuites et aléatoires de bonté, mais si tel est le cas, rendez ce malade heureux, faites-lui la mère de toutes les frictions. Ce geste pourrait vous être remis au centuple dans cette vie ou dans une autre.

LA SUPERBE INFIRMIÈRE *(l'air timide)*

Yes…

> *Pierre sort et referme la porte derrière lui. Un dernier rayon de soleil inonde la chambre d'une lumière dorée. La superbe infirmière s'approche de Rémy, lui enlève ses lunettes, déboutonne sa chemise. Il ouvre les yeux et la découvre dans toute la splendeur de sa beauté. Elle se met à lui masser les épaules.*

RÉMY *(l'air béat)*

Suis-je déjà au ciel ? Êtes-vous ma walkyrie ? Ma houri ?

LA SUPERBE INFIRMIÈRE *(toujours penchée au-dessus de lui)*

I am from Bulgaria.

RÉMY

Oh, joie !

Intérieur nuit – Salle de jeux électroniques

> *Sébastien et Jérôme jouent à des jeux vidéo dans une salle specta-culaire. Inondés de musique techno, ils s'amusent beaucoup. On comprend que Sébastien est un véritable maniaque de ces jeux. Soudain, il sort son portable.*

SÉBASTIEN

Allô ?

Intérieur nuit – Hôpital – Nouvelle chambre de Rémy

> *Louise est au téléphone dans la chambre de Rémy. Couché sur son lit, Rémy est agité par des soubresauts. Il souffre beaucoup.*

LOUISE *(à Sébastien, affolée)*

Nathalie est pas venue ! Ça va pas du tout. Ton père est en manque, je pense. J'ai appelé chez elle, il y a pas de réponse. Il faut que tu la trouves.

Intérieur nuit – Rue du centre-ville de Montréal

La voiture de Sébastien roule rapidement dans le centre-ville en direction d'Outremont.

Extérieur nuit – Appartement d'Olivier

La voiture s'arrête devant l'appartement d'Olivier. Sébastien monte l'escalier en courant, et sonne à la porte. Olivier ouvre.

OLIVIER

Salut.

SÉBASTIEN

Je cherche Nathalie.

OLIVIER

Pas vue.

SÉBASTIEN

Elle est disparue.

OLIVIER *(l'air entendu)*

Je t'avais prévenu. T'as besoin de quelque chose ?

SÉBASTIEN

Je vais essayer de la trouver, sinon je reviendrai.

Il descend l'escalier.

OLIVIER

Avant onze heures.

Sébastien regarde sa montre.

SÉBASTIEN

O.K.

Extérieur nuit – Rue du centre-sud de Montréal

Sébastien roule à toute vitesse vers le centre-sud.

Intérieur nuit – Appartement du centre-sud

Un concierge louche, un trousseau de clefs à la main, précède Sébastien dans un corridor crasseux. Il s'arrête devant une porte.

LE CONCIERGE

Normalement, moi, je suis pas supposé faire ça. *(Indiquant une porte.)* C'est là.

Sébastien sonne. Rien ne bouge.

LE CONCIERGE

J'ai jamais eu de trouble avec elle.

Sébastien lui glisse un billet de vingt dollars dans la main. Le concierge ouvre la porte. Sébastien entre dans un appartement minable, mais où il y a tout de même un ordinateur et toute une collection de dictionnaires.

Nathalie est étendue sur son lit, une seringue vide à côté d'elle. Sébastien défait le garrot, la tire par les bras et tente de la mettre debout.

SÉBASTIEN

Viens-t'en ! Viens-t'en, j'ai besoin de toi !

Nathalie est manifestement sous l'influence d'une dose massive d'héroïne.

Extérieur nuit – Rue de Montréal

Au volant de sa voiture, Sébastien conduit rapidement. À côté de lui, Nathalie peut à peine tenir sa tête droite.

SÉBASTIEN *(énervé)*

J'aurais dû t'écouter. Tu me l'avais dit, que je pouvais pas me fier à toi. Ton dealer aussi me l'avait dit.

La tête de Nathalie se renverse vers l'arrière. Il l'attrape par le collet et la secoue.

SÉBASTIEN

Réveille ! On a un contrat ensemble.

NATHALIE *(complètement perdue)*

Un contrat ?

SÉBASTIEN

Je fournis la dope, tu t'occupes de mon père.

NATHALIE

Qu'est-ce qu'il a, ton père ?

SÉBASTIEN

Il t'attend.

NATHALIE

On y va, là. On y va.

> *Elle s'appuie sur la portière. Sa tête glisse vers l'avant. Sébastien la secoue encore.*

SÉBASTIEN

Un contrat, ça se respecte !

NATHALIE

Heavy man, heavy…

SÉBASTIEN

Non, non, pas heavy du tout ! On avait une entente tous les deux. Je comptais sur toi, moi.

NATHALIE

… Comme ma mère.

SÉBASTIEN

Quoi, ta mère ?

NATHALIE

Elle est folle, ma mère.

SÉBASTIEN

La mienne aussi. C'est pas une excuse.

NATHALIE

Si tu savais comment j'ai été élevée…

SÉBASTIEN

Je le sais : j'ai été élevé comme toi.

NATHALIE

Mon père, moi, mon père… au marché Bonsecours…

Elle se penche vers lui.

SÉBASTIEN

Veux-tu changer pour le mien ?! Ma vie, c'est moi qui l'ai faite.
J'aime mieux ma vie que la tienne.

NATHALIE *(toujours penchée vers lui, elle ferme les yeux en parlant)*

Oh! Jeune homme parfait. Carrière parfaite. Fiancée parfaite. Moi, je suis imparfaite. Défectueuse. *(Elle se renverse et bute sur la portière.)* Inadéquate. C'est dommage… Très dommage…

Le portable de Sébastien sonne.

SÉBASTIEN

Hi John. Can't talk. Call you back.

NATHALIE

Business! Tu vas manquer de la business!

Intérieur nuit – Hôpital – Nouvelle chambre de Rémy

Sébastien entre dans la chambre en traînant Nathalie. Rémy est en transe. Louise est paniquée.

LOUISE

Mais qu'est-ce que vous faisiez!? Où est-ce que vous étiez? Je savais plus quoi faire!

NATHALIE *(à Sébastien, la voix pâteuse)*

Trouve une cuiller.

SÉBASTIEN

Quoi?

NATHALIE

Une cuiller.

Intérieur nuit – Hôpital – Nouvelle chambre de Rémy

> *Sébastien recueille péniblement dans une seringue l'héroïne dissoute dans la cuiller.*

NATHALIE

30… Mets-la à 30…

> *Louise éponge le visage en sueur de Rémy. Nathalie tente de localiser une veine sur le bras de Rémy pour lui faire la piqûre.*

NATHALIE *(d'une voix faible)*

Je serai pas capable !

> *Elle s'affale au bout du lit. Suzanne, l'infirmière, apparaît dans la porte.*

SUZANNE

Qu'est-ce que vous faites là ?

> *Sébastien accourt vers elle.*

SÉBASTIEN

Posez pas de questions. On a pas le temps. Ça va pas bien. Il faut que vous nous aidiez. Vous êtes la seule qui êtes capable. Je vous en supplie, faites-lui une piqûre avec ça. *(Il lui tend la seringue.)* Il en a besoin, je vous le jure. Je vais vous expliquer après.

SUZANNE

Il y a quoi là-dedans ?

SÉBASTIEN

De l'héroïne.

SUZANNE *(l'air découragé)*

Ahhh…

SÉBASTIEN

Je vous en supplie.

SUZANNE *(tenant la seringue entre ses dents, elle fait un garrot au bras de Rémy)*

Fermez la porte au moins.

LOUISE

J'y vais.

> *Louise sort de la chambre, ferme la porte et fait le guet. Suzanne fait la piqûre, Rémy s'apaise instantanément. Nathalie reste endormie en travers du lit.*

SUZANNE *(à Sébastien)*

Je vais pas recommencer ça tous les soirs, moi.

SÉBASTIEN

Ça achève.

Intérieur / extérieur – Maison de Pierre

> *Sébastien et Pierre se tiennent sur le perron de la maison bour-*
> *geoise de Pierre, la porte est restée ouverte.*

SÉBASTIEN

… et il m'a dit que c'est au lac que finalement il avait été le plus heureux. Alors je me demandais si je pourrais pas emprunter votre maison de campagne.

PIERRE

Bien sûr. N'importe quand. Je vais aller chercher les clefs.

> *Pierre entre dans la maison et fouille dans le tiroir d'une commode.*
> *Ghislaine apparaît dans l'escalier.*

GHISLAINE

Qu'est-ce que tu cherches ?

PIERRE

Les clefs de la maison de campagne.

GHISLAINE *(descendant l'escalier)*

Pour quoi faire ?

PIERRE

Je vais prêter la maison à Sébastien. Il veut emmener Rémy.

GHISLAINE

Tu pourrais me demander ce que j'en pense.

PIERRE

Je suis désolé de pas l'avoir fait.

GHISLAINE *(s'énervant)*

C'est moi qui l'ai décorée, cette maison-là !

PIERRE

C'est vrai.

GHISLAINE

Les heures que j'ai passées chez Ikea, ça compte pas ? Les rideaux que j'ai cousus non plus ? Il y a rien qui compte là-dedans ? Tu prêtes notre maison à des étrangers, tu me demandes même pas la permission ?

> *Pierre a retrouvé les clefs et ressort à l'extérieur, où Ghislaine le poursuit.*

PIERRE

Rémy est pas un étranger.

GHISLAINE *(en criant, furieuse)*

C'est pour des raisons comme ça que Nicole Kidman a divorcé Tom Cruise : il prêtait toujours leur maison du Colorado à n'importe qui !

PIERRE

Bon, ça suffit ! *(Il agite les clefs devant les yeux de Ghislaine.)* Je prête ma maison à mon ami Rémy, toi tu te tais !

GHISLAINE *(criant encore plus fort)*

Ah oui ? C'est ça que tu penses ? ! Très bien ! Moi, je reste pas une seconde de plus ici. Je prends mes filles avec moi, je me trouve un appartement.

> *Elle rentre dans la maison. Sébastien veut rendre les clefs à Pierre.*

SÉBASTIEN

Écoutez, je suis désolé. Laissez faire, je vais me débrouiller autrement.

> *Pierre repousse les clefs.*

PIERRE *(l'air contrit)*

Il en est pas question. Va à la maison quand tu voudras. T'en fais pas pour ça. C'est pas grave. C'est toujours comme ça. C'est la vie.

Intérieur jour – Hôpital – Nouvelle chambre de Rémy

> *Deux ambulanciers font glisser Rémy de son lit à une civière, pendant que Sébastien range les affaires de son père dans une valise.*

RÉMY

T'as toujours pas de nouvelles de Sylvaine ?

SÉBASTIEN

Non, j'ai tout essayé : j'ai même parlé au propriétaire du bateau au Chili.

RÉMY *(visiblement souffrant)*

Il est pas arrivé d'accident ?

SÉBASTIEN

Non, tout va bien. C'est juste la connexion Internet qui se fait pas. C'est grand, le Pacifique sud.

> *Les infirmières poussent la civière dans le corridor, où sœur Constance les arrête un instant. Elle prend la main de Rémy et la porte à sa joue.*

SŒUR CONSTANCE

Adieu. *(Elle embrasse la main de Rémy.)* Acceptez le mystère. Si vous acceptez le mystère, vous êtes sauvé.

Rémy embrasse à son tour la main de sœur Constance. Ils sont tous les deux émus de se quitter. Les ambulanciers poussent la civière vers l'ascenseur. Sébastien sort de la chambre.

SŒUR CONSTANCE

Dites-lui que vous l'aimez.

SÉBASTIEN

Savez-vous ce que je fais pour lui ?

SŒUR CONSTANCE

Ça compte pas. Dites-le-lui, et touchez-le. *(Elle pose la main sur l'épaule de Sébastien.)* Touchez-le.

Sébastien se dirige vers son père sur la civière, quand Carole, l'infirmière acariâtre, apparaît dans le corridor.

CAROLE

C'est quoi, ça ? C'est un départ sans autorisation ? Quand ça ira plus mal, essayez jamais de revenir ici ! On va le laisser crever dans le parking ! Je vous avertis : c'est ça qu'on va faire !

Sébastien en a brusquement assez, et il prend son élan pour aller la frapper. Elle recule brusquement et s'enfuit.

CAROLE

Sauvage !

*Il la poursuit quelques pas et s'arrête. Sœur Constance s'approche
en courant pour intervenir. Sébastien revient vers son père.*

RÉMY *(souriant)*

L'aurais-tu battue pour vrai ?

SÉBASTIEN *(haussant les épaules en souriant)*

Je sais pas.

RÉMY

Moi non plus, j'aurai jamais réussi à battre une femme. C'est un
peu dommage, il y en a quelques-unes qui le méritaient.

SŒUR CONSTANCE *(comme à un enfant malcommode)*

Vous allez pas recommencer ! ?

RÉMY

Ma sœur, il y a beaucoup de choses que vous ne connaissez pas
dans la vie. Certaines femmes ont besoin d'une main ferme,
vous savez. D'ailleurs, vous-même…

SŒUR CONSTANCE *(aux ambulanciers et en riant)*

Mais sortez-le d'ici, au nom du ciel ! Débarrassez-moi, qu'est-
ce que vous attendez ! Vous êtes payés à l'heure ou quoi ?

Elle pousse elle-même la civière. Tous rient.

Intérieur jour – Pharmacie

> *Un pharmacien vietnamien place quatre flacons de plastique remplis d'une sorte de jus d'orange artificiel sur un comptoir devant Nathalie. Il s'agit bien sûr de méthadone.*

LE PHARMACIEN

Tu bois celui-là.

NATHALIE

Tout de suite ?

LE PHARMACIEN

Devant moi.

> *Hésitant un peu et regardant autour d'elle, Nathalie boit le contenu du flacon.*

LE PHARMACIEN

Là, je te fais confiance. T'en bois un chaque jour, O.K. ? *(Nathalie aquiesce de la tête.)* Un seul. Pas plus, pas moins. Puis tu reviens ici lundi. Tu fais une gaffe, t'es rayée du programme. C'est clair ?

NATHALIE

Oui oui.

Intérieur/extérieur jour – Autoroute

L'ambulance roule sur l'autoroute. Nathalie accompagne Rémy. Elle est pâle et paraît nerveuse.

RÉMY *(l'air tourmenté)*

J'ai encore de la difficulté à accepter.

NATHALIE

Vous savez bien qu'il va falloir.

RÉMY

J'arrive pas à me résigner.

NATHALIE

C'est comme ça. C'est la loi. Quand vous allez fermer les yeux, il y a des millions d'hommes, de femmes, d'enfants, d'animaux, de poissons, d'oiseaux qui vont mourir à la même seconde que vous.

RÉMY *(agité)*

Oui, mais *moi, moi,* je serai plus là ! Moi, je vais disparaître pour toujours ! *(L'air accablé, Nathalie étend le bras pour lui caresser l'épaule. Rémy a l'air démuni.)* Si au moins j'avais appris quelque chose. Je te jure, je suis aussi démuni que le jour de ma naissance. J'ai pas réussi à trouver un sens… C'est ça qu'il faut chercher…

Nathalie a les larmes aux yeux.

Extérieur jour – Maison de Pierre à la campagne – Galerie

C'est un superbe après-midi d'automne. Sur la galerie de la maison de campagne de Pierre, devant le lac qui miroite, Rémy est étendu sur une chaise longue, enveloppé dans une couverture de laine. Nathalie est assise près de lui, un peu en retrait. Elle est en quelque sorte devenue son infirmière privée. Assis en rang, il y a Pierre, Claude, Alessandro, Diane et Dominique. À l'arrière-plan, Louise, Gaëlle et Sébastien sont les hôtes.

RÉMY

Mais on a tout été ! C'est invraisemblable ! Séparatistes, indépendantistes, souverainistes, souverainistes-associationnistes…

PIERRE

Au tout début, on avait commencé par être existentialistes !

DOMINIQUE

On avait lu Sartre et Camus.

CLAUDE

Après ça, on a lu Frantz Fanon et on est devenu anticolonialistes.

RÉMY

Après ça, on a lu Marcuse et on est devenu marxistes.

PIERRE

Marxistes–léninistes.

ALESSANDRO

Maoïstes.

DIANE

Trotskistes.

RÉMY

Après, on a lu Soljenitsyne, on a changé d'idée et on est devenu structuralistes.

PIERRE

Situationnistes.

CLAUDE

Déconstructionnistes.

DIANE

Féministes.

PIERRE

Y a-t-il un « isme » que nous n'ayons pas adoré ?

CLAUDE

Le crétinisme !

RÉMY

Oh, mon Dieu, non ! Souvenez-vous de Guo Jing !

ALESSANDRO

Qui était Guo Jing ?

CLAUDE

Une archéologue, avec une robe fendue jusqu'en haut de la cuisse.

ALESSANDRO

Même toi tu t'en souviens !

RÉMY *(ravi de raconter cette anecdote)*

Fin des années soixante-dix. La Chine s'ouvre à l'Occident. Guo Jing est en visite culturelle à Montréal. L'université délègue son gauchiste de service. *(Indiquant lui-même.)* J'entre dans la salle à manger de son hôtel, je la vois. Je meurs.

Flash-back – Intérieur jour – Hôtel Ritz

> *Dans la salle à manger d'un hôtel, la caméra s'approche d'une belle et énigmatique Chinoise qui boit du thé. Le récit de Rémy sera entrecoupé d'images de cette femme.*

Extérieur jour – Maison de Pierre – Galerie

RÉMY

Une beauté à faire fondre les sept mille soldats de terre cuite de l'empereur Qin. Je commande un thé, nous échangeons quelques banalités. Je me voyais déjà lui faisant la corbeille pékinoise.

PIERRE

Ou le palanquin du Széchuan.

RÉMY

Et là, pour faire mon intéressant, je plonge et je lui dis : « C'est extraordinaire tout ce qui se passe dans votre pays ! Si vous saviez à quel point on vous envie, votre révolution culturelle est tellement formidable ! » Instantanément ses beaux yeux noirs se voilent et je comprends avec horreur qu'elle est en train de se dire : ou bien ce type est un agent provocateur de la C.I.A., ou c'est le plus gros crétin du monde occidental. Elle a opté pour la seconde hypothèse.

PIERRE

Adieu, corbeille et palanquin !

RÉMY

Elle avait vidangé du purin de porc pendant deux ans dans une ferme de rééducation par le travail (*gros plan du magnifique et triste visage de Guo Jing),* son père avait été assassiné, sa mère s'était suicidée, et voilà qu'un pauvre épais canadien-français, parce qu'il avait vu les films de Jean-Luc Godard et lu Philippe Sollers, trouvait la révolution culturelle « formidable ». Dans le crétinisme on peut pas descendre plus bas.

> *Il semble vraiment honteux.*

Intérieur jour – Maison de Pierre – Salle à manger

> *Ils sont tous autour de la table de la salle à manger. Rémy est étendu sur sa chaise longue, un peu en retrait. Nathalie est assise près de lui, elle frissonne un peu. Claude entre, portant un grand plat. Alessandro le suit, chargé d'un autre plat.*

CLAUDE

Tadam ! La simplicité volontaire : des œufs brouillés au caviar d'osciètre et à la truffe fraîche.

ALESSANDRO

De Toscane !

PIERRE *(montrant la bouteille de vin qu'il vient d'ouvrir)*

Pour rester dans le goût italien, Castello Banfi « Excelsius » ! Ça va ? Modeste et de bon goût.

> *Gaëlle et Sébastien, assis côte à côte, ne se mêlent pas à la conversation. Les amoureux sont seuls au monde. Nathalie les observe, l'air troublé.*

DOMINIQUE

Mais pourquoi est-ce qu'on a été si cons ?

CLAUDE *(en train de servir tout le monde)*

Doit-on subodorer une impéritie congénitale ?

PIERRE *(remplissant les coupes à vin)*

Mais pas du tout. Contrairement à ce que les gens croient, l'intelligence n'est pas une qualité individuelle, c'est un phénomène collectif, national, intermittent.

LOUISE

Tiens, une nouvelle théorie.

PIERRE

Absolument. Athènes, 416. La première d'*Électre* d'Euripide. Dans les gradins, ses deux rivaux : Sophocle et Aristophane, et ses deux amis : Socrate et Platon. L'intelligence était là.

ALESSANDRO

J'ai mieux : Firenze 1504. Palazzo Vecchio. Deux murs opposés, deux peintres. À droite, Leonardo da Vinci. À gauche, Michelangelo. Un apprenti : Raffaello. Un manager : Niccolò Machiavelli. Forza Italia !

PIERRE

Philadelphie, U.S.A. 1776-1787. Déclaration d'Indépendance et Constitution des États-Unis.

Sébastien lance un regard triste à Gaëlle, qui lui sourit tendrement.
Nathalie surprend cet échange, l'air troublé.

RÉMY

« When in the course of human events… »

PIERRE

Adams, Franklin, Jefferson, Washington, Hamilton et Madison.
Il n'y a pas eu un autre pays qui a eu cette chance-là.

RÉMY

Moi, je suis né à Chicoutimi, au Canada, en 1950.

DIANE

C'est un miracle que tu sois pas plus con que tu l'es déjà !

Rémy acquiesce, un verre à la main.

PIERRE

En 1950, tout le monde était con, à Athènes comme à Chicoutimi.

ALESSANDRO *(à Rémy)*

Chez nous, t'aurais appuyé les Brigades rouges, ç'aurait été
brillant.

CLAUDE

Et maintenant, il aurait Berlusconi !

DOMINIQUE

Et à Philadelphie, il aurait voté pour George Bush !

DIANE *(à Rémy)*

Tu vois, finalement t'es pas si con que ça !

PIERRE

L'intelligence est disparue. Et je ne veux pas être pessimiste, mais il y a des fois où elle s'absente longtemps.

ALESSANDRO

De la mort de Tacite à la naissance de Dante, il y a quoi, onze siècles ?

CLAUDE

Mais elle était partie chez les Arabes.

PIERRE

C'est vrai.

> *Rémy et Nathalie n'ont pas touché à leur assiette. Louise se penche vers Rémy.*

LOUISE

T'as pas faim ?

RÉMY *(indiquant sa gorge)*

Ça passe pas.

DIANE *(à Nathalie)*

Toi non plus ?

NATHALIE

J'ai pas faim. Excusez-moi.

CLAUDE *(à Rémy, avec beaucoup de tendresse)*

Eh ben, mon vieux, j'aurais jamais cru voir le jour où tu refuserais de la truffe fraîche.

RÉMY *(triste)*

Hélas, ce jour est arrivé, mon cher.

PIERRE *(encourageant)*

Une goutte de vin quand même.

> *Rémy fait signe que non en portant la main à sa gorge.*

RÉMY

Buvez-en à ma santé, et dites-moi à quel point il est bon.

> *Ils lèvent tous leurs verres, regardent longuement Rémy, et boivent.*

Extérieur nuit – Maison de Pierre – Bord du lac

> *La nuit tombe. Ils ont allumé un feu dehors, et ils sont assis autour, sauf Gaëlle et Sébastien qui sont restés sur la galerie. Nathalie est assise seule au pied de l'escalier, enveloppée dans une couverture. Rémy, toujours dans sa chaise longue, est lui aussi enveloppé d'épaisses couvertures. Deux joints de marijuana ont été allumés et circulent pendant toute la scène.*

PIERRE *(aspirant une bouffée et passant le joint à Diane)*

Non, la mort la plus douce, pour moi, c'est Félix Faure.

> *Rémy, tenant la main de Louise, prend une bouffée de l'autre joint.*

DIANE *(prenant une bouffée de pot)*

Tiens donc. Expliquez-moi pourquoi je suis pas surprise.

PIERRE *(regardant Diane)*

On peut toujours rêver.

LOUISE *(perdue)*

C'est qui ? C'est quoi ?

CLAUDE *(un joint à la main)*

Le bien-aimé Félix Faure.

DOMINIQUE

La Belle Époque.

CLAUDE

Président de la République française en exercice. Son cœur s'est arrêté de battre pendant que sa maîtresse, l'admirable madame Steinheil, à genoux à ses pieds, lui prodiguait avec fermeté le pompier de tous les pompiers.

Tous s'esclaffent.

LOUISE *(un joint à la main)*

Mon Dieu !

PIERRE *(d'un ton théâtral)*

Les ennemis du président s'écrièrent : « Il voulait être César, hélas, il ne fut que Pompée. »

Ils rient tous de nouveau, visiblement sous l'effet du pot.

CLAUDE

Et madame Steinheil fut surnommée « la pompe funèbre ».

Les rires fusent de plus belle.

RÉMY *(riant)*

C'est pas à moi que ça serait arrivé, tout ça.

DIANE

C'est tout de même pas de notre faute si t'avais le cœur trop
bien accroché. Je te rappellerai, mon cher Rémy, qu'à une certaine époque *(Rémy et Louise la regardent, curieux),* moi-même et
peut-être d'autres ici présentes, te pompions férocement *(elle se
remet à rire, suivie des autres)* et avec vivacité !

CLAUDE *(récupérant le joint)*

Peut-être, mesdames, eût-il fallu que vous le pompassiez plus
vigoureusement ?

DOMINIQUE *(esquissant un geste précieux de la main)*

Cela ne se pouvait, monsieur. Nous pompâmes autant que
nous pûmes !

Ils sont tous écroulés de rire.

LOUISE

Je tiens à rappeler ici qu'en tant qu'épouse légitime je pompais
de mon côté avec assiduité et mansuétude.

DIANE

Ciel ! Madame ? ! Vous pompâtes ? !

RÉMY *(se tordant de rire)*

Arrêtez. Vous me faites mal.

Extérieur nuit – Maison de Pierre – Galerie

On entend un air de Mozart au piano. Nathalie fait une piqûre d'héroïne à Rémy, étendu sur sa chaise longue, dehors. Il ferme les yeux. Nathalie se relève et se dirige vers la cuisine. Sur la galerie, elle passe près de Gaëlle et Sébastien, qui sont enlacés dans une grande balançoire. Gaëlle bâille.

GAËLLE

Je m'endors.

SÉBASTIEN

Va te coucher.

GAËLLE

Tu viens pas ?

SÉBASTIEN

Pas cette nuit.

Ils s'embrassent tendrement. Nathalie les observe. Gaëlle se lève et passe devant une fenêtre qui nous permet de découvrir l'intérieur du salon où sont rassemblés tous les autres. Louise et Dominique sont au piano.

Intérieur nuit – Maison de Pierre – Salon

Louise et Dominique au piano. Pierre se lève et sort.

Extérieur nuit – Maison de Pierre – Galerie

Pierre sort de la maison et vient abrier Rémy, qui s'est assoupi.

Extérieur nuit – Maison de Pierre – Près du feu

Nathalie est assise au bord du feu. On entend encore le piano au loin. Sébastien s'approche et s'assoit à côté d'elle.

SÉBASTIEN

Ça va ?

Elle fait signe que oui. Il passe un bras autour de ses épaules. Elle appuie sa tête contre lui. Son portable sonne. Il répond, mais Nathalie s'en empare subitement et le jette dans le feu. Il reste immobile, trop surpris pour réagir. Elle réprime un sourire.

SÉBASTIEN

Think you're funny ?

Ils finissent par rire tous les deux et, une fois de plus, Nathalie se penche vers lui.

Extérieur nuit – Maison de Pierre – Galerie

Ils sont maintenant tous autour de Rémy, dehors. Louise a pris la place de Nathalie tout près de lui. Ils regardent Rémy dormir. Soudain, il ouvre les yeux. Il délire.

RÉMY

… demain… les barbares… partout…

Sébastien s'approche d'eux.

RÉMY *(regardant Sébastien s'approcher)*

Voici leur prince qui s'approche…

Tous ont les yeux rivés sur Sébastien qui regarde son père, l'air bouleversé.

Extérieur nuit – Maison de Pierre – Galerie

Le jour se lève sur le lac et sur la maison. Rémy est resté sur sa chaise longue. Sébastien le veille. Nathalie est endormie dans un hamac. Rémy tourne son visage vers son fils, il a les yeux grands ouverts. Sébastien vient s'asseoir tout près de lui.

RÉMY

J'ai peur.

Sébastien met d'abord la main sur l'épaule de son père, puis essaie de le prendre dans ses bras. Ils s'étreignent, tous les deux très maladroits.

SÉBASTIEN

On fait ce que tu veux. C'est toi qui décides. *(Il parle très rapidement à l'oreille de son père.)* Je t'aime.

RÉMY *(serrant son fils contre lui)*

Tu sais ce que je te souhaite ?

SÉBASTIEN

Quoi ?

RÉMY *(tenant le visage de Sébastien entre ses mains)*

D'avoir un fils aussi bien que toi.

> *Ils s'embrassent de nouveau et pleurent tous les deux.*

RÉMY

Toujours pas de nouvelles de Sylvaine ?

SÉBASTIEN

Non.

RÉMY

Tu lui diras que je pensais à elle.

> *On voit Nathalie qui les observe.*

Extérieur jour – Maison de Pierre – Cour

> *Une voiture se gare dans la cour. Suzanne, l'infirmière, en descend et sort de l'équipement médical du coffre.*

Intérieur jour – Maison de Pierre – Cuisine

> *Dans la cuisine, Nathalie dissout quelques grammes d'héroïne dans de l'eau bouillante.*

Extérieur jour – Maison de Pierre – Galerie

> *Suzanne termine l'installation d'un soluté au bras de Rémy.*

RÉMY *(en regardant ses cuisses, l'air ému)*

Il y a pas si longtemps encore, je vous aurais sauté dessus sans presque vous demander la permission.

SUZANNE

Peut-être que je me serais laissé faire… *(Elle lui sourit.)*

RÉMY *(content, malgré son épuisement)*

C'est bien ce je pensais.

> *Elle a terminé son installation.*

SUZANNE

Voilà. *(Elle lui donne un baiser du bout des doigts, sur la bouche, le regarde dans les yeux.)* Bye-bye. *(Elle se redresse et s'éloigne rapidement. Sébastien l'attendait près de la voiture.)* Je suis jamais venue ici aujourd'hui. Vous m'avez pas vue.

SÉBASTIEN

Bien sûr.

Ils se font la bise.

Intérieur jour – Maison de Pierre – Cuisine

Dans la cuisine, Nathalie finit de remplir d'héroïne une dizaine de seringues qu'elle range méthodiquement dans un plat.

Extérieur jour – Maison de Pierre – Galerie

Sébastien sort de la maison en courant. Il a dans les mains son ordinateur en marche. Il se précipite vers la chaise longue de Rémy, autour de laquelle s'étaient rassemblés Louise, Diane, Dominique, Pierre, Claude, Alessandro et Gaëlle. Il pose l'ordinateur sur les genoux de son père.

SÉBASTIEN

Ça vient d'arriver.

Il se placent tous derrière Rémy, pour regarder avec lui.

Extérieur jour – En mer

De nouveau, il s'agit d'une image numérique qui se décompose parfois. Sylvaine est à l'arrière du bateau.

SYLVAINE

À bord du bateau, on appelle ça le mauvais œil, Act of God *(ils regardent tous l'image avec émotion)*… Frapper un growler, un bloc de glace la nuit, le feu dans une fuite de gaz… *(Sylvaine est de plus en plus émue.)* On sait que si ça nous arrive, il y a des chances qu'on en revienne pas. Il y a trop longtemps que je t'ai vu, mon cher papa, mon daddy *(elle se met à sangloter),* mon papounet, mon papinou… Je me serai ennuyée de toi toute ma vie… Dis-toi que je suis une femme heureuse : j'ai trouvé ma place. *(Elle étend les bras comme pour embrasser la mer.)* Je sais pas comment t'as fait ça, mais t'as réussi à me transmettre ton appétit pour la vie. Toi et maman, vous avez finalement fabriqué des enfants super-solides. Je pense que c'est un miracle. *(Elle pleure de plus en plus.)* Tu sais, le premier homme dans la vie d'une fille, c'est son père… *(Elle sanglote de plus belle.)* Pour moi, tu vas toujours rester…

> *Étreinte par l'émotion, elle sort du champ de la caméra. On ne voit plus que la mer, qui soudain se fige électroniquement.*

Extérieur jour – Maison de Pierre – Galerie

> *Rémy referme l'ordinateur dont Sébastien le débarrasse.*

RÉMY *(sur un ton doux et solennel)*

J'ai eu beaucoup de plaisir à vivre cette modeste vie en votre compagnie, mes chers amis, et ce sont vos sourires que j'emporte avec moi.

> *À tour de rôle, Gaëlle, Alessandro, Claude, Dominique, Diane, Pierre et finalement Louise embrassent tendrement Rémy et lui disent adieu.*

LOUISE *(pleurant et souriant à la fois)*

L'homme de ma vie.

> *Sébastien prend sa mère par les épaules, la relève et la reconduit jusqu'à l'intérieur de la maison, où l'accompagnent les autres femmes. Les hommes, eux, se tiennent en retrait comme témoins. Nathalie s'approche avec les seringues.*

RÉMY *(souriant à Nathalie)*

Mon ange gardien.

NATHALIE *(préparant une seringue, très émue)*

Ç'a été un privilège de vous connaître.

RÉMY

Le privilège était pour moi, mademoiselle.

> *Sébastien vient s'asseoir tout près de Rémy, du côté opposé à celui de Nathalie. Il prend la main de son père et la tient dans les siennes. Rémy fait signe des yeux à Nathalie. Celle-ci injecte de l'héroïne dans le tube du soluté. Rémy s'endort doucement. Lentement, l'image se dissout et on voit émerger d'une sorte de brume Inès Orsini dans le rôle de Maria Goretti qui relève ses jupes pour tremper ses pieds dans la mer.*

Intérieur jour – Maison de Pierre – Cuisine

> *Debout devant le frigo, Nathalie avale tout d'un trait un des flacons de méthadone. Diane vient derrière elle et la prend dans ses bras.*

Extérieur jour – Maison de Pierre

Ghislaine gare sa voiture à côté de la maison. Pierre vient rapidement à sa rencontre.

PIERRE

Les ambulanciers sont pas venus encore. Ils ont été retardés. On va aller se promener au bord de l'eau.

Ils prennent leurs deux filles dans leurs bras et, sans s'approcher de la maison, se dirigent vers le lac. Ghislaine jette quelques coups d'œil sur la galerie, où Claude et Alessandro veillent le corps de Rémy. Pierre serre sa fille dans ses bras.

Intérieur jour – Université – Salle de l'école de musique

Dans une grande salle de musique de l'université, deux jeunes Asiatiques jouent en duo une sonate de Diabelli. Louise, assise sur une chaise droite, les écoute avec attention.

Intérieur jour – Appartement de Rémy

Sébastien ouvre la porte de l'appartement de son père et laisse entrer Nathalie.

SÉBASTIEN *(entrant dans le bureau de Rémy, suivi de Nathalie)*

Ma mère veut pas habiter ici. J'ai pas besoin de le vendre maintenant. Tu peux t'installer, et puis on verra plus tard.

Nathalie contemple les livres qui tapissent les murs. On voit en très gros plans des noms d'auteurs et des titres de livres : Primo Levi, The Gulag Archipelago. Nathalie se retourne brusquement vers Sébastien et se jette sur lui, l'embrasse longuement sur la bouche. D'abord surpris, Sébastien se laisse faire, puis Nathalie le pousse à partir. Désemparé, Sébastien monte dans sa voiture et regarde en direction de l'appartement, où Nathalie reste seule, bouleversée.

Intérieur nuit – Aéroport

Dans l'aéroport, Claude, Alessandro, Sébastien et Gaëlle ont leurs billets d'avion à la main. Dominique et Diane sont venues leur dire au revoir.

DIANE *(à Claude)*

Toi, tu reviens plus jamais maintenant ?

CLAUDE

Depuis que ma mère est morte, j'ai plus personne ici. Sauf vous deux. *(Regardant Dominique et Diane.)* Pourquoi vous venez pas à Noël ?

ALESSANDRO

C'est vrai… Si ! Venez passer deux semaines !

DOMINIQUE

D'accord.

DIANE

Ben, écoute, ça dépend un peu de ma fille, mais pourquoi pas ?

SÉBASTIEN *(regardant sa montre)*

Nous, il faut y aller. C'est maintenant.

Ils embrassent tous Gaëlle et Sébastien.

Extérieur nuit – Aéroport

C'est le crépuscule. Les avions qui partent pour l'Europe s'alignent sur les pistes de l'aéroport.

Intérieur nuit – Avion

Dans la cabine de première classe, Sébastien et Gaëlle ont pris leurs sièges. Une hôtesse de l'air leur sert du champagne. Sébastien regarde par le hublot, l'air triste.

VOIX DU PILOTE

« … Le temps de notre vol sera d'environ six heures quinze minutes. Nous devrions être à Londres, aéroport Heathrow, à sept heures quarante-cinq du matin, heure locale. Je vous souhaite un bon vol. »

GAËLLE *(posant l'épaule sur la tête de Sébastien)*

Je t'aime.

Extérieur nuit – Aéroport

L'avion décolle tandis qu'on entend la chanson de Françoise Hardy : L'Amitié.

On voit une image du lac. Une image de la maison de Pierre. Un vol d'oiseaux dans le ciel. Et l'avion qui monte et rentre ses roues.

Denys Arcand
Sainte-Anne-des-Lacs, août 2002

EXTRAIT DU CATALOGUE

Georges Anglade
Les Blancs de mémoire

Emmanuel Aquin
Désincarnations
Icare
Incarnations
Réincarnations

Denys Arcand
Le Déclin de l'empire américain
Les Invasions barbares
Jésus de Montréal

Gilles Archambault
À voix basse
Les Choses d'un jour
Comme une panthère noire
Courir à sa perte
De si douces dérives
Enfances lointaines
Les Maladresses du cœur
L'Obsédante Obèse
    et autres agressions
Le Tendre Matin

Tu ne me dis jamais que je suis belle
Un après-midi de septembre
Un homme plein d'enfance

Michel Bergeron
Siou Song

Nadine Bismuth
Les gens fidèles ne font pas les nouvelles

Lise Bissonnette
Choses crues
Marie suivait l'été
Quittes et Doubles
Un lieu approprié

Neil Bissoondath
À l'aube de lendemains précaires
Arracher les montagnes
Tous ces mondes en elle
Un baume pour le cœur

Marie-Claire Blais
Dans la foudre et la lumière
Soifs
Une saison dans la vie d'Emmanuel

Elena Botchorichvili
Le Tiroir au papillon

Gérard Bouchard
Mistouk

Jean-Pierre Boucher
La vie n'est pas une sinécure
Les vieux ne courent pas les rues

Jacques Brault
Agonie

Louis Caron
Le Canard de bois.
    Les Fils de la liberté I
La Corne de brume.
    Les Fils de la liberté II
Le Coup de poing.
    Les Fils de la liberté III
Il n'y a plus d'Amérique
Racontages

André Carpentier
Gésu Retard
Mendiant de l'infini

Jean-François Chassay
L'Angle mort

Ying Chen
Immobile
Le Champ dans la mer
Querelle d'un squelette
    avec son double

Ook Chung
L'Expérience interdite

Joan Clarke
La Fille blanche

Matt Cohen
Elizabeth et après

Gil Courtemanche
Un dimanche à la piscine à Kigali

Judith Cowan
Plus que la vie même

Esther Croft
Au commencement était
    le froid
La Mémoire à deux faces
Tu ne mourras pas

France Daigle
Petites difficultés d'existence
Un fin passage

Francine D'Amour
Écrire comme un chat
Presque rien

Louise Desjardins
Cœurs braisés

Germaine Dionne
Le Fils de Jimi

Christiane Duchesne
L'Homme des silences

Louisette Dussault
Moman

Gloria Escomel
Les Eaux de la mémoire
Pièges

Jonathan Franzen
Les Corrections

Christiane Frenette
Celle qui marche sur du verre
La Nuit entière
La Terre ferme

Lise Gauvin
Fugitives

Louis Hamelin
Le Joueur de flûte
Le Soleil des gouffres

Bruno Hébert
Alice court avec René
C'est pas moi, je le jure!

David Homel
Orages électriques

Suzanne Jacob
Les Aventures de Pomme Douly
L'Obéissance
Parlez-moi d'amour
Wells

Marie Laberge
Adélaïde
Annabelle
La Cérémonie des anges
Florent
Gabrielle
Juillet
Le Poids des ombres
Quelques Adieux

Marie-Sissi Labrèche
Borderline
La Brèche

Robert Lalonde
Des nouvelles d'amis très chers
Le Fou du père
Le Monde sur le flanc de la truite
Monsieur Bovary
    ou mourir au théâtre
Le Vacarmeur
Où vont les sizerins flammés en été?
Un jardin entouré de murailles

Monique LaRue
La Démarche du crabe
La Gloire de Cassiodore

Hélène Le Beau
Adieu Agnès
La Chute du corps

Rachel Leclerc
Noces de sable
Ruelle Océan

Alistair MacLeod
La Perte et le Fracas

Francis Magnenot
Italienne

André Major
Histoires de déserteurs
La Vie provisoire

Gilles Marcotte
Une mission difficile
La Vie réelle
La Mort de Maurice Duplessis
    et autres nouvelles

Yann Martel
Paul en Finlande

Alexis Martin et Jean-Pierre Ronfard
Transit section nº 20
    suivi de *Hitler*

Stéfani Meunier
Au bout du chemin

Anne Michaels
La Mémoire en fuite

Michel Michaud
Cœur de cannibale

Marco Micone
Le Figuier enchanté

Hélène Monette
Le Blanc des yeux
Plaisirs et Paysages kitsch
Un jardin dans la nuit
Unless

Yan Muckle
Le Bout de la terre

Pierre Nepveu
Des mondes peu habités
L'Hiver de Mira Christophe

Michael Ondaatje
Le Fantôme d'Anil

Nathalie Petrowski
Il restera toujours le Nebraska
Maman last call

Daniel Poliquin
L'Écureuil noir
L'Homme de paille

Monique Proulx
Les Aurores montréales
Le cœur est un muscle involontaire
Homme invisible à la fenêtre

Rober Racine
Le Cœur de Mattingly
L'Ombre de la Terre

Bruno Ramirez et Paul Tana
La Sarrasine

Yvon Rivard
Le Milieu du jour
Les Silences du corbeau

Louis-Bernard Robitaille
Le Zoo de Berlin

Alain Roy
Le Grand Respir
Quoi mettre dans sa valise?

Hugo Roy
L'Envie

Kerri Sakamoto
Le Champ électrique

Jacques Savoie
Les Portes tournantes
Le Récif du Prince
Une histoire de cœur

Mauricio Segura
Bouche-à-bouche
Côte-des-Nègres

Gaétan Soucy
L'Acquittement
Catoblépas
Music-Hall!
*La petite fille qui aimait trop
    les allumettes*

Marie José Thériault
Les Demoiselles de Numidie
L'Envoleur de chevaux

Pierre-Yves Thiran
Bal à l'abattoir

Guillaume Vigneault
Carnets de naufrage
Chercher le vent

MISE EN PAGES ET TYPOGRAPHIE :
LES ÉDITIONS DU BORÉAL

ACHEVÉ D'IMPRIMER EN MAI 2003
SUR LES PRESSES DE L'IMPRIMERIE AGMV MARQUIS
À CAP–SAINT–IGNACE (QUÉBEC).

035679

DATE DE RETOUR

26 NOV '04			

LES INVASIONS BARBARES ▪ DENYS ARCAND

Montréal 2001. Début cinquantaine et divorcé, Rémy est à l'hôpital. Parents, amis et amantes affluent à son chevet pour lui offrir leur soutien ou régler leurs comptes… et réfléchir à leur propre existence.

Au nombre des visiteurs, on retrouve plusieurs membres de la joyeuse bande que personne n'a oubliée depuis *Le Déclin de l'Empire américain*. Que sont-ils devenus ? Divorcée de Rémy depuis une quinzaine d'années, Louise est-elle parvenue à l'oublier et à refaire sa vie ? Pierre, dont le peu d'amour-propre lui interdisait de se reproduire, s'est-il enfin rangé ? Jusqu'où les pulsions charnelles de Diane l'ont-elle menée ? Contre qui se love désormais Dominique, qui n'avait aucun scrupule à réchauffer son lit avec les maris de ses amies ?

Quel que soit le chemin qu'ils ont suivi, ces intellectuels n'ont pas perdu leur goût pour la conversation habile et délicieusement irrévérencieuse.

PHOTO : ATTILA DORY

*Denys Arcand est né en 1941 et vit à Montréal. Ses documentaires chocs aussi bien que ses films de fiction (*Le Déclin de l'Empire américain, *1986 ; Jésus de Montréal, *1989) *font de lui un des cinéastes québécois les plus importants. Son œuvre a été couronnée par de nombreux prix, aussi bien au Québec qu'à l'étranger.*

9 782764 602447
ISBN 2-7646-0244-8

17,95 $
13,50 €